KAWADE
夢文庫

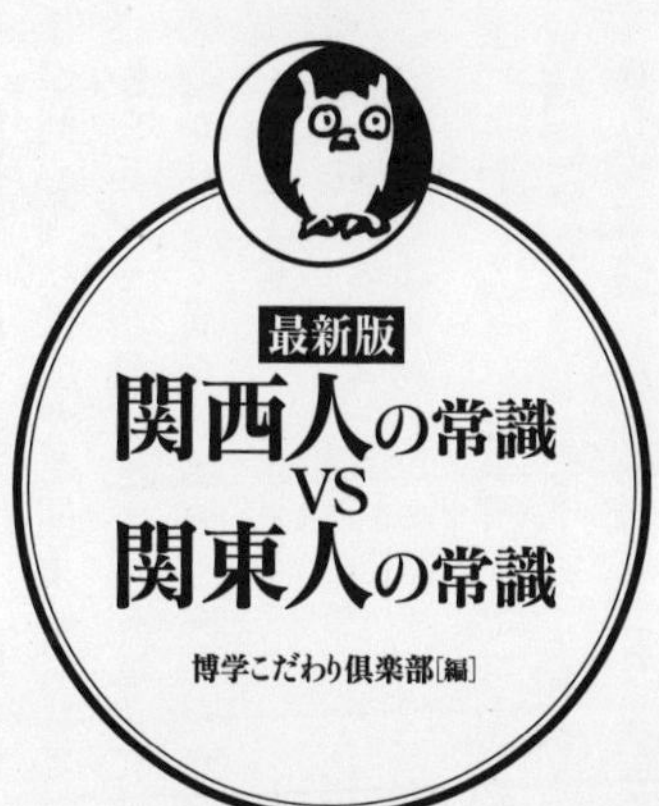

最新版

関西人の常識 VS 関東人の常識

博学こだわり倶楽部[編]

新幹線で2時間半なのに西と東の〝常識〟はこんなに違う！――前書き

日本の二大勢力といっても過言ではないのが「関東」と「関西」。東京を中心とする関東に対し、関西は「関西三都」とも呼ばれる大阪・京都・神戸で成り立つ。東京カルチャーが同心円状に広がる関東に対して、関西は三都の文化がモザイク状に存在し、そこから兵庫や奈良、滋賀、和歌山に波及しているといえよう。

文化圏の構造からして異なる関東と関西だから、さまざまなシーンで〝あちら側の常識〟に出くわして驚くことがある。よくいわれるのが、料理の味付け。関東は濃い味で関西は薄味というのが通説だが、それ以外にも食材の種類や名前が異なるものも多いし、関西では一般的でも関東には存在しない食べ物もある。

本書は「食」だけでなく、知らずに接すれば恥をかくかもしれない「暗黙のオキテ」、意外と見過ごされており誤解が生まれがちな「言葉」や「文化」、これまた大きく異なる「乗り物事情」などのカテゴリーにも切り込んだ。特に、関東の人が関西人と接する際に役立てていただけると自負している。

なお、これらの情報は「諸説あるうちの一つ」であることを書き添えておく。

博学こだわり倶楽部

最新版 関西人の常識vs関東人の常識　もくじ

❶ えっ、関東人は優先席がガラガラでも座らへんの?!

知らないと恥をかく「暗黙のオキテ」

❷ 灯油のポリタンク、関西では赤でなく「青」ってマジですか?

「所変われば品変わる」は本当だった

❸ 東京の人は豚まんにカラシを付けへんて、ホンマ？

〝あっち側〟の「食の常識」に驚く！

❹ 上京して長いのに、大阪弁が抜けないのはナゼですか？

関東人には謎すぎる「関西人の習性」

❺ 日本人に多い名字ていうたら「田中」とちゃうの？

そもそも「伝統・文化」がこんなに違う

❻

同じ日本人なのに「ことば」が通じない?!

「自分どうなん？」って、一瞬誰を指すのかわかりません！

⑦ 特急なみに早い「新快速」、なんで東日本にないのん？

「乗り物事情」から見える東西の違い

イラスト●小島サエキチ
協力●オフィステイクオー
●高貝誠
●後藤久美子

1

えっ、関東人は優先席がガラガラでも座らへんの?!

知らないと恥をかく「暗黙のオキテ」

関東は「先払い文化」、関西は「後払い文化」である

状況にもよるだろうが、関東では先払いへの抵抗感は薄いといわれる。一方、商人気質の強い関西人は、先払いを嫌う。現在でこそ抵抗感は薄まっているが、かつては「モノの良し悪しがわからないのに、金は出せない」という人が多かったのである。

実際、大手通販サイトのアマゾンには、次のような逸話がある。日本でアマゾンジャパンが設立された２０００年当時は、クレジット決済しかなかった。関東では順調に利用者が増加していったものの、逆に関西人には敬遠されていたそうだ。

前述したように、関西人は先払いに良いイメージがない。そのうえ当時は通販サイトが進出したばかりで、認知も進んでいなかった。不慣れなサイトに、お金を先に払いたくないという警戒心が生まれていたわけだ。

これに困り果てたのがアマゾンジャパンである。関西でのニーズに応えるために急遽(きゅうきょ)、翌年11月より代引き制度を実施したという。

どこまで本当かは不明だが、もし真実だったら関西人の執念が企業を動かしたと

いうことになる。関西人の先払い嫌いは筋金入りだったということだろうか。とはいえ、今ではギフト券などで先払いする利用者も増えているようだ。

そんな後払い文化は、ＩＣカードにも表れている。関東の交通系ＩＣカードは、初乗り時に残高が足りていないと乗れない先払い式である。

しかし、関西で主要なＩＣカード「ピタパ」は後払い式カードである。乗るときに金額が引かれる関東とは違い、改札から出るときに残高が減るタイプだ。そのため、1円でも残っていれば電車に乗れてしまう。

一見便利なようだが、残高不足なのを忘れて改札で引っかかる人も後を絶たないという。先払いも後払いも一長一短ということだろう。

いわゆる「敷金礼金」は関東のほうが安いってご存じ？

関東と関西では、賃貸住宅を借りる初期費用が違うのをご存じだろうか。実は関西のほうがおおむね高いのだ。

まず、家賃の滞納や部屋の修繕などにあてる「敷金」。関東では敷金は家賃の1〜2か月分が相場である。ところが関西では、敷金は「保証金」と呼ばれ、家賃の4

～7か月分を取られるケースもある。この差はかなり大きく、関東から関西へ引っ越す予定の人は戸惑うかもしれない。

また、入居者からオーナーへ謝礼として支払われる「礼金」は、関東ならではの慣例。関西には礼金はないが、「敷引き」というシステムが住宅系・事業用ともに広く利用されている。これは、預けた敷金の一部を返金しない特約のこと。内容的には、ほぼ礼金と同じである。

保証金と敷引きがセットで表記されている場合、戻ってくるのは保証金から敷引きの額を引いた金額となる。そのため、短期間で契約を解除した場合、内装の損耗が少ないにもかかわらず、退去時に高額のコストがかかってトラブルになることも多いのだとか。

この敷引きシステムは、関西圏だけでなく九州でも多く見られたが、最近では減少傾向にあるようだ。全国フランチャイズ形式の不動産会社が増えてきたこともあり、関西でも「保証金」「敷引き」ではなく、関東と同じく「敷金」「礼金」システムを取り入れるところも増えているという。

とはいえ、念には念を入れておいて損はない。引っ越し費用をできるだけ抑えたい方は、契約書に「敷引き」という文字がないかチェックしておこう。

「動く歩道」で関西人は歩き、関東人は止まる

「こちらの歩道では決して歩かないでください」

関東の動く歩道で、よく見かける注意書きだ。

「ムービングウォーク（オートスロープ）」とも呼ばれる動く歩道は、エスカレーターと違って大荷物でも利用しやすく、大空港や主要駅などによく設置されている。その代わり、歩くスピードが速くなるので、歩行バランスを崩して転倒しやすい。

スロープ型だと靴底が濡れていたら滑りやすく、下りでは余計に転びやすくなっている。多くの動く歩道で歩かないよう警告されるのも無理はない。

関東人は大半がマナーを守る。ところが、関西の動く歩道では人が歩く。そのほうが早く着くとばかりに、ズンズン進むのだ。それどころか、阪急梅田

駅のように「降り口付近では立ち止まらないでください」とアナウンスが流れるところもある。そうした状況から、関西人には「動く歩道」ならぬ「歩く歩道」と呼ぶ人も多いようだ。事実上、関西の動く歩道は歩くものなのである。

「止まらないのは、関西人がイラチ（せっかち）だから」と揶揄（やゆ）されることもある。しかし、それだとなぜアナウンスでも歩行が奨励（しょうれい）されるのかがわからない。本当の理由は、動く歩道が導入された当時にあるという。

日本で初めて動く歩道が置かれたのは大阪だ。１９６７年に阪急梅田駅のホーム移転に伴い、乗客を素早く移動させるため設置されたという。そのときは、歩道の上は歩くように促（うなが）されていたそうだ。

何しろ時間短縮を目指して設置したのに、立ち止まられては本末転倒（ほんまつてんとう）。しかも当時は物珍しさで見物人も多く集まり、止まるとかえって危険だった。そういった事情から関西人は歩くようになったのだ。

だが、3年後の大阪万博で動く歩道が展示されたときは、逆に歩行が禁止されていた。歩行が禁止されたことと、歩行バランスを崩す危険性から立ち止まるのがマナーになったという。とはいえ、このマナーは徹底されず、現在も昔どおりに歩く人は多い。

ただ、走ることはいくら関西人でもありえない。動く歩道が壊れる危険性もあるため、そこはさすがに許されていないのである。

優先座席がガラガラでも座らない関東人、座る関西人

電車やバスに設置されている優先座席。国鉄（現ＪＲ）時代に東京の中央線快速で導入されたこの席は、今やほぼ全ての電車に備わっている。

お年寄りや病人、身障者に妊婦の方々が優先して座るこの席が、もし空いていたらどうするだろうか？「座らない」との答えが返ってくるのは関東だ。体の弱い人のための席だから、健常者の自分が腰を下ろすのは気が引けるのだという。

もしくは、「周囲の視線が気になる」「いざ必要な人が来たときに譲るのが恥ずかしいので、あらかじめ座らない」という人も少なくない。いずれにしても、健康な関東人が優先座席に座りたがらないのは一緒である。

ところが関西では全くの逆で、周囲にお年寄りや病人がいなければ、健康な人でも堂々と優先座席に座ることが多い。「誰もいないのなら座っても問題ない」「必要な人が来たらそのとき譲ればいい」という精神なのだという。ある意味合理的な考

えだと言えなくもない。

そもそも、2000年代初頭の関西では、私鉄の一部で優先座席が廃止されていた。どんな座席であろうと席は譲るべき、という考えに基づき、阪急や神戸電鉄などで1999年から撤去されていたのだ。

ところが、廃止後は席を譲る人が激減してしまい、やむなく2007年から再度優先座席を設置したのである。やはり「誰もが弱い人を優先するはず」という理想論は通用しなかったようだ。

海外に目を向けると、優先座席の扱いはまちまちだ。日本と同様に曖昧なところもあれば、インドネシアのジャカルタのように車両巡回員が一般人は座らないよう注意する国もあるが、全体的には関東のように大半の一般人は座らないらしい。

エスカレーターの乗り方、大阪では「右側」に立って左を空けるわけ

近年、事故防止の視点から歩くのはマナー違反だといわれ、埼玉県では立ち止まって乗るよう条例で定められたエスカレーター。それでも、まだまだ片側を空けて立ち、その横を歩いたり、走ったりする人の姿は目につく。

全国共通ルールでは、左側に立って右側を空ける。これに対し、大阪では右側に立って左側を空ける。この片側立ちのルールは欧米諸国はじめ海外でもよく見られ、海外は大阪ルール同様右側に立つことが一般的なのだという。

大阪が右側なのは、１９６７年に阪急梅田駅で、急いでいる人へ左側を空けるようにアナウンスされた、もしくは１９７０年に開催された万国博覧会で、海外のルールに合わせて、急ぐ人のために左側を空けるよう勧められたとの説がある。

一方、東京が右側を空けるのは、日本の「人は右側、車は左側通行」にのっとったものだ。

同じ関西でも、京都は全国ルール同様左立ち。しかし、京都でも大阪や奈良などから利用する人が多い在来線のエスカレーターは右立ちで、全国の利用者が多い新幹線では左になるという。ほかの関西圏を見ると、滋賀は左で、奈良、兵庫と和歌山は右。滋賀は京都の影響が強く、そのほかは大阪の影響が強いといえそうだ。

贈答品に付き物の「のし紙」。かけ方が東西で異なるって?!

中元や歳暮、結婚祝いなどのギフトを贈る場合には「のし紙」をかけるのが一般的だ。のし紙には商品を贈る相手に改まった気持ちを示す役割があるが、そのラッピング方法は2パターンある。

一つが商品に直接のし紙を巻いてから包装紙で覆う「内のし」で、このかけ方では、贈り主の名前や贈答の目的は包装紙を外すまで見ることができない。もう一つが包装紙の外側にのし紙をかける「外のし」で、一目で贈り主などがわかる。

そして関西では「内のし」が、関東では「外のし」が好まれる傾向にあるという。なぜこのような地域差が生じたのだろう。

現在でこそ「内のし」も「外のし」もマナー上は同等のものという感覚があるが、かつては「内のし」のほうがより丁重な作法と考えられていた。相手方の家に赴(おもむ)いて贈答品を渡す場合、包装紙を外してから差し出すことが本来の礼儀とされていたからだ。

実際、明治・大正時代の贈答マナーを描いた絵に登場するのは、ほとんどが「内のし」だったという。

関西ではこの昔ながらの伝統が引き継がれているのに対し、関東では見た目のわかりやすさが重視されたため「外のし」が選ばれるようになったと考えられている。

また香典返しなどに使われる「弔事用のし紙」にも、東西の違いが見られる。それがのし紙に印刷されている「水引」の色で、関西では黄色と白の組み合わせが主流であるのに対し、関東は黒白が基本。関西圏の水引に黄色が採用されたのは、次のような理由があるといわれる。

古代の中国で、黄色は皇帝のみが使用できる高貴な色とされていた。その思想の影響を受けた京都の公家たちが、死者に対する畏敬の念を表すのにふさわしい色と考え、水引に用いられるようになったという。

知らないと恥をかく！関東と関西の「結納」の違い

結納は結婚の意思を両家で確認し、品物を贈る日本の伝統的な婚約の儀式だ。近年は結納を省略するケースも増えているが、かつては家同士を結び付けるための儀礼として重視されていた。

結納の形式は地域によって異なるが、大別すると「関東式」と「関西式」がある。関東式は男性と女性が同格の結納品を取り交わし、関西式では男性から女性へと納めるのが特徴。そのため関東では結納を「交わす」、関西では結納を「納める」と表現する。

結納品は関東式では、干しアワビを長く伸ばした「長熨斗」、純白の扇子「末広」、「寿留米」などの縁起物7品に結納金を包んだ「御帯料」と、「目録」を加えた9品目が正式とされる。一方、関西式は目録をカウントせず、「結美輪（婚約指輪）」や「高砂人形」などを加え9品目とする。品数を減らし簡略化するときは、縁起を担いで7品、5品と〝二つに分かれない〟奇数で整えるのがしきたりだ。

関東式では結納品一式をまとめて一つの白木の台にのせるが、関西式では一品ずつを別の台にのせ、さらにそれぞれの品に松・竹・梅などのめでたい飾りを付ける。そのため、シンプルな関東式に比べると豪華な雰囲気となる。この違いは関東式が質素倹約を旨とする武家社会を、関西式が華やかな公家社会の流れを汲んでいるために生じたと考えられている。

また、男性が女性に結婚の支度金として贈る結納金は、給与の2～3か月分が目安。2020年に、ある結婚情報誌が行った調査によると、首都圏の結納金の額は平均約101万円、関西では約97万円だった。関東では結納金の半額程度を女性が返す「半返し」が一般的だが、関西では結納返しはまれ。その代わりに腕時計やスーツなど、結納金の1割程度の記念品を贈ることがある。

東西異なる地域に住むカップルが結婚する場合は、両家の間で結納のしきたりに認識の違いがないか、チェックしておきたい。

七五三の3歳は女児のみが祝う関東、男女とも祝う関西

子どもの成長を祝う伝統行事の中で、七五三はその代表格だ。

七五三は、平安時代に公家の間で3歳から7、8歳までの男女のお祝いの儀式が起源とされ、中世になるとそれが3歳の「髪置き」、5歳の「袴着」、7歳の「帯解き」という儀式として定着する。

髪置きは3歳の男女が、それまで剃っていた髪を伸ばしはじめる儀式で、袴着は男子が初めて袴をつける儀式、帯解きはそれまでしていた付帯をやめ、初めて帯を用いる儀式をいう。この三儀式が江戸時代にまとめられたことが、今の七五三の原

型だ。

この七五三だが、地域によってお祝いの仕方は少々異なる。例えば、東北などでは1か月繰り上げて10月15日前後に祝うし、数え年でなく満年齢を採用する場合や、3歳ではなく4歳とする地域もある。家族によって参拝のみ、写真撮影のみというのも近年では珍しくない。

なかでも大きく違うのが、関東地方では3歳は女児のみが慣習となっている地域が多いことだ。

全国レベルでは3歳は男女、5歳は男児、7歳は女児となっているのが一般的だ。しかし、もともとの七五三は3歳が女児、5歳が男児で7歳は決まっていなかった。それが、江戸時代にまとめられた際、7歳を女の物日（ものび）として女児の祝いが行われることになったという説がある。そのため、江戸に幕府があった関東では、女児のみ2回というのが残ったともいわれている。

なお、関西では七五三と同じか、それ以上に重要な子どものお祝いがある。それが「十三参り」だ。数え年で13歳になる男女が、福徳と知恵を授かるために、虚空蔵菩薩（こくうぞうぼさつ）に参拝する行事である。

関東ではあまり知られていないが、初めて大人の寸法の晴れ着を着ることもあり、関西では十三参りをもって大人の仲間入りをしたと見なされる。一種の通過儀礼としての役目もあるのだ。

葬儀のしきたり、東西でここまで違う!

関西と関東では、葬儀の日程が違う。関東では死亡から3～4日後に行うのに対し、関西では亡くなった翌日に葬儀を行う場合が多い。

なぜ関東は死亡の日からこんなにずれるのか。

そもそも葬儀を行うには、式場・火葬場・宗教者など、すべて押さえる必要がある。関西は比較的火葬場を押さえやすいが、人口密度が高い首都圏では、これがなかなか難しい。特に火葬場は希望の日時に予約ができないケースが多いため、逝去から数日後に葬儀を行うのが一般化しているのだ。

ほかにも、関東では通夜のあと、弔問者全員と故人を偲びながら食事をする「通夜ぶるまい」という慣習がある。しかし関西では、通夜のあとは親戚やごく親しい友人だけで食事をする程度で、一般の参列者は加わらない。そのため、関東の慣習そのままに食事を求めると〝非常識なヒト〟と思われてしまうだろう。

葬式の花輪、意外や関東のほうが派手だって?!

関東人は落ち着いたものが好きで、関西人は派手好み。そんなふうに語られやすいが、全てに当てはまるわけではない。例えばお葬式。

葬式では、故人を偲ぶための供花が葬儀場の前に並べられる。このとき、関東では大型の花輪を飾ることが多い。最近では費用減の煽りで置かない葬儀も増えているようだが、平成までは故人の勤め先などが会場に花輪を送っていた。白黒を基調とした大型の花が並ぶ光景は、まさに関東式葬儀の風物詩でもあっただろう。

ところが関西では、普段とは違い落ち着いた雰囲気を好む。葬儀場に花輪が並ぶこともなく、「樒」を供えるのが一般的だ。樒とは常緑樹の一種で、葉が

花のように茂ったシンプルな植物だ。関西人の葬儀では、この樒をスタンドに挿して使っている。

樒は弘法大師も修行に用いたという神聖な植物で、葬儀場に置くと故人を邪悪なものから守ってくれるという言い伝えがある。費用やスペースの問題から、最近では紙や板を樒に見立てた「紙樒」や「板樒」を置くこともあるという。しかし、魔除けの植物で故人を守る風習そのものは今も関西の一部に残り、落ち着いた雰囲気の中で故人との別れを済ませるのである。

そんなしっとりとした葬儀に慣れた関西人からすると、関東の花輪の派手さに驚くかもしれない。

オープンした店に並ぶ開店花、関西では〝お持ち帰り〟がマナー

関東の人が関西で出店したとき、最初に驚くのは花の扱いかもしれない。新しい店がオープンしたとき、花輪やスタンド花が並ぶ光景は東も西も変わらない。ところが、関西では時々このような人が現れる。「このお花、持って帰ってええの？」と聞いてくる人だ。

がめつく非常識な人というわけではない。関西では、オープン時のスタンド花はもらってもいいという風習があるのだ。

関東ではスタンド花に手を出す人はまずいないが、関西だと客に持ち帰られたほうが店は繁盛するとされている。そのため、オープン時には花を欲しがる人がたびたび現れ、縁起がいいからと包み紙すらくれる店も少なくないという。この風習は中部にもあり、時には1時間も経たずに花がなくなることもあるそうだ。

ただし、好き放題に取っていいわけでもない。昔は黙って持っていかれていたらしいが、ほかの地方の人々も多く流入するようになったので、持ち帰る前に許可をもらうのがマナーになったらしい。風習を知らない人に花泥棒と間違えられて、トラブルになることを防ぐためだ。

また、オープン前に取るのもNGだ。開店する前に花が刈り尽くされるとみすぼらしくなり、かえって運気が下がってしまう。花が目立たない場所に置かれていたり、覆いを被せられていたりするときは「取らないでください」というサインだ。

そして最も大事なマナーは、花をもらった店を必ず利用すること。お金も落とさないのに、花だけを取るのはさすがに図々しい。花が欲しいときは必ず買い物か食事をしてから店員に確認して、その後も客として通えば、店も自分も両方得ができるというものだ。

ラブホのご休憩、関西は「1時間」で関東は「3時間」!

近年は中国でもお目にかかるといわれているが、日本特有の施設とされるのが「ラブホテル」だ。構造やサービスでは東西に大した違いはないが、利用時間については少し異なっている。

関東でカップルがラブホ休憩しようとしたら、大体は「3時間」を単位として計算する（最近は2時間のところも多いが）。行為にかかる時間を考えると、2~3時間あれば十分だろう。ところが関西だと、「1時間」で区切るのが基本。ホテルの料金も、当然1時間単位で設定されているのだ。

関西の利用時間が細かいのは、「関西の男性が早撃ち」だからではない。例えば「2時間4000円」と「1時間2000円」の看板があったとしよう。このとき関西人は、奇数で割り切れない2時間を割高と見て店を敬遠(けいえん)してしまうという。実際、3時間の利用なら前者は8000円、後者なら6000円になる。

また、ラブホテルには、基本料金に延長料金が30分単位で加算されるところもあり、これが５００円だとすれば、１時間30分だと前者は４０００円のままだが、後者だと２５００円。断然お得だ。

とはいえ、ラブホテルの平均滞在時間は約２時間というデータがあり、これは全国的にほぼ同じとされる。

ちなみに、ラブホテルの利用で東西関係なく女性に嫌われるのは、ケチな男性。一番安い部屋を選ぼうとしたり、時間を気にしたりするのは厳禁。割り勘はもってのほかだということを肝に銘じたほうがいい。

関西の理容室では洗髪後、客が自分で顔を洗う？

関東の理容室では一般的に、シャンプーを終えたあとはスタッフが蒸しタオルで客の顔を拭く流れに

なっている。

ところが関西圏の理容室では、少し事情が違う。関西には、洗髪後にスタッフがシャンプー台のシャワーの湯を出して、客に自分で顔を洗わせる店があるのだ。そして客は手に湯を受けて洗顔し、スタッフから差し出されたタオルで顔を拭くのである。

そもそも理容師を養成する専門学校では、シャンプー後に蒸しタオルで客の顔を拭く作業は教えるが、客自身に顔を洗わせるような指導は行っていない。つまり関西の理容室のほうが異端ということになる。

実は、関西の理容室でもかつては関東と同様、スタッフが客の顔を拭いていた。それが変化したのは、客の要望に応えた結果であるという。

理容室では髪を洗う際、客を前屈みの姿勢にして行うことが多い。これを「フロントシャンプー」というが、この洗い方では顔が湯に触れてしまう場合がある。そのため、スタッフが蒸しタオルで拭いても「拭ききれていない気がする」「自分で洗ったほうがスッキリする」といった声が相次いだという。

そんな事情から関西の理容室では、洗髪後に客が自ら顔を洗う習慣が生まれたといわれる。

この習慣がいつ始まったかは定かではない。客に顔を洗わせる習慣のあった店で修業した理容師が、自分の店を持ったときにこれを受け継ぎ、同じサービスを提供したため根付いていったと考えられる。

ただ最近では、美容室のように仰向けで洗髪する「バックシャンプー」を取り入れる理容室や、シャンプー自体を行わない、いわゆる「1000円カット」の店舗も増えている。客に自分で顔を洗わせる関西流の〝おもてなし〟は、いずれ貴重なものになるかもしれない。

❷

灯油のポリタンク、関西では赤でなく「青」ってマジですか？

「所変われば品変わる」は本当だった

トイレットペーパー——関東はダブル派、関西はシングル派が多い

トイレットペーパーには一枚式の「シングル」と二枚重ねの「ダブル」があり、関東の人はダブル、関西人はシングルを好むという。

製紙会社「王子ネピア」の2019年度販売数量によると、

- 全国…シングル派が32%、ダブル派は66%
- 関西…シングル派が53%、ダブル派は46%

だった。株式会社クリーンネットサービスの調査では、ダブルの使用割合が関東67・1%に対して関西43・9%となったように、好みの違いは数字の上にも現れている。この理由については二つの説がある。

トイレットペーパーが開発されるまでは「落とし紙」というちり紙が使われていたが、関東では静岡製のちり紙、関西は四国で作られた京花紙と種類が異なった。これが、そのままトイレットペーパーの違いにつながったという。なぜなら、落とし紙が不要になった静岡は柔らかいダブルを作り、四国は和紙の技術で丈夫なシングルを製造したからだ。

紙質が丈夫ならば二枚重ねを買う必要はないし、何より長年使い続けた地域の品だから買いやすい。そんな紙質と愛着の違いで、東西の好みが分かれたという。

もう一つの理由は、関西人の金銭感覚だ。実はシングルとダブルは倍以上も長さが違っている。1ロールを比べると、シングルは約60メートルなのに対して、ダブルは約30メートルしかない。そのため普通に使えば、シングルは2倍長持ちする計算になる。このコストパフォーマンスの良さで、関西人はシングル派になったとされている。

灯油のポリタンク——なぜ関東以北は「赤」で、関西は「青」なのか？

石油ストーブの燃料が足りなくなったときは、ガソリンスタンドやホームセンターなどに灯油を買いに行く。では、そのとき持っていく灯油ポリタンクは、いったい何色を思い浮かべるだろうか。

東京の人は赤いポリタンクを思い出すはずだ。しかし、大阪の場合は青色が主流なのだ。２００７年にウェザーニュースが行ったアンケートでも、関東以北は9割近くが赤、逆に関西は6割ほどが青と答えている。つまりポリタンクの色は、東が赤、西が青に分かれているのである。

そもそも、かつてのポリタンクは種類を問わず白で統一されていた。しかしこれには問題もあった。白色では紫外線で灯油が変質しかねないし、飲料水用と間違える危険性もあった。そのため灯油用のポリタンクは、危険物とわかるように色付けするよう日本産業規格（ＪＩＳ）で決められたのである。

ただ、ポリタンクを何色にするかは指定されていなかった。東西で違う色が採用されたのも、この曖昧さが原因だ。

では、なぜ関東＝赤、関西＝青とポリタンクの色が分かれたのか。これには諸説あるが、有力な説によると、わかりやすさとコストの問題であるようだ。

赤は警告や危険信号にも使われるので、ポリタンクが危ないモノだと一目でわかる。だからこそ、関東ではポリタンクが赤色に統一されたという。

一方の関西では、わかりやすさよりコストが優先された。青の顔料は赤の顔料より安く、ポリタンクを大量生産しやすかった。そんな懐事情から、関西では青色が主流になったとされている。金銭感覚を重んじる関西人の気質が、ここにも表れたのだろうか。

このような色の違いは中部を境に変わっていて、一部では緑色もあるという。なお飲料水用は白のままで、薬品用は灰色。これは東西で違いはない。

玉子焼き器——正方形か長方形か、それが問題だ

東西で味が違う料理との代表格といえば、玉子焼き。関東風は甘い、関西風は出汁がきいているというように、風味が東と西とで違うことがよく知られている。そのため味付けばかりが注目されがちだが、実は作る道具も関東と関西で異なる。

関東の玉子焼き器は「角型」。つまりは一辺の長さがほぼ同じの正方形である。これに対する関西式は「角長型」といい、縦長の長方形をしている。どちらもフライパンを四角にしたものではあるが、形状は微妙に異なっているのである。

なぜ関東と関西で形が違うのか？　その秘密は作り方にある。東西では玉子焼きの好みが違うので、必然的に調理法にも違いが出る。

例えば、関東では甘味のある厚焼き玉子が主流なので、作るときもたっぷり入れた卵液に焼き色をつけてから、豪快に1回で巻く。そうすることで分厚く食べ応えのある仕上がりになる。

一方、関西では少しずつ返しながら巻いていくのが基本。関西風は出汁巻き玉子

だから、出汁を入れると卵液が関東よりもサラサラになりやすい。そのため、何度もひっくり返して玉子の層を厚くし、出汁があふれるやわらかな食感にするのだ。

こうした作り方の違いが器具にも表れている。関東式が正方形なのは、可能な限り1回で巻いて分厚く仕上げられるように。関西式が長方形をしているのは、何度もひっくり返せるように工夫された結果なのである。

しかし実は、どちらにも属さない種類も存在する。それが名古屋を中心とする、中部地方の「横長型」の玉子焼き器だ。

箸で巻いていく東西と違い、中部はヘラで横から折りたたんでいくことが多い。名古屋では玉子焼きを冷まして食べることが多いので、こうした巻き方をすれば、出汁が中に閉じ込められて、冷めてもお

いしく食べられる。玉子焼き器もそうした巻き方をしやすいよう、横長になったとされている。

包丁——切っ先の形が違うのは、食文化が違うため

料理のときになくてはならない包丁。いつごろ生まれたかは不明だが、江戸時代には現在の形になったという。その名の由来は、古代中国の刃物職人「庖丁」であるとされている。だが、その形は全国共通ではなく、関東と関西とでは違うものが使われがちだ。

関東の包丁は切っ先が四角や丸形で、関西は鋭くなっている。野菜の皮むきや面取り用の菜切り包丁を比べてみると、関東製はアゴと呼ばれる刃元の部分に丸みがあるのだが、関西製は角張っている。

菜切りと同じく野菜切りに使われる薄刃（うすば）包丁も、関東は切っ先が四角く、関西は片方が丸くてもう片方が鋭（するど）い。刺身包丁でも、関西製の柳刃（やなぎば）包丁「正夫（しょうぶ）」（宛て字。菖蒲（しょうぶ）の葉の意）は先が尖っているのに対し、関東の「蛸引（たこひき）」は平べったい。

形が異なっているのは食文化が違うからだ。関西の京風料理は、上品な味わいと

同時に形も細かく工夫されている。その美しさを表現するには、職人の技だけでなく繊細(せんさい)な調理をするための道具も必要だ。だからこそ、包丁一本で細かな調理ができるよう、先端が鋭くされたという。

一方の関東では、鋭い包丁は好まれなかった。包丁が現在の形となったのは江戸時代なので、武器のような鋭さは嫌がられたし、何より人に怪我(けが)をさせる恐れもある。だから関東では包丁の先端を四角に、アゴに丸みをつけたという。関東で飾り剝(む)きに使われる剝き包丁も、先端は関西よりもやや四角いのが特徴なのだ。

電気の周波数——50ヘルツvs60ヘルツ。東西で周波数が異なるのは?

かつて、東京から大阪に引っ越す際には電気器具を買い替える必要があった。なぜなら、関東の電力周波数は50ヘルツなのに、関西は60ヘルツだからだ。

現在の家電は大半が両方の周波数に対応しているので、買い替えの必要はほとんどない。しかし、関東から関西へ引っ越しすると、10ヘルツ上がるので冷蔵庫の効率は20%高くなり、扇風機の回転は20%速くなる。そして、今も静岡県の富士川を境に周波数は違ったままだ。

東西で10ヘルツも違うのは、明治時代に原因がある。日本での発電開始に伴い、関東の日本電燈（現東京電力）は1896年にドイツから発電機を輸入した。これに対し、関西の大阪電燈（現関西電力）はアメリカから機器を輸入した。

ところが、このとき購入した発電機が問題の原因となる。なぜならドイツ製発電機の周波数は50ヘルツで、アメリカ製は60ヘルツだったからだ。違う周波数の機器を買ってしまったのは、送電さえできれば問題ないとされたから。つまりは送電ノウハウのなさに原因があったのだ。

当初は問題にならなかったが、地方から都市への人口流入や高度経済成長期の家電の普及、サラリーマンの転勤増加などにより、しだいに不便さが浮き彫りになっていく。

根本的に解決するには、どちらかの周波数に統一すればいいのだが、変更となった地域では家電の買い替えが不可欠だ。どちらかにしか対応していない旧型家電を使っている家庭もいまだに多い。また、電力会社も機材を丸ごと入れ替えることになるので、費用も莫大になってしまう。

東西の周波数の違いは、災害時に大きなマイナスになることもわかっている。各電力会社の間には「融通電力需給契約」が結ばれていて、どこかの会社で電力の不足が発生した場合、ほかの会社が不足電力を補って停電にならないようにしている。

だが、2011年の東日本大震災では、複数の発電所が停止し、東北電力と東京電力管内では電力が不足する事態に陥った。そのため中部電力や関西電力などは融通を実施したが、周波数変換所の能力が100万キロワットに限られていたため東西間の融通電力に限界が生じ、東京電力管内では3月14〜28日にかけて計画停電を実施している。

ちなみに、太陽光発電などは直流電圧を交流電圧に変換して供給されており、この変換の際に地域の周波数に合わせている。

電波塔――関西に、東京のような高い電波塔がないわけ

日本一高いタワーといえば、東京のスカイツリーだ。2012年に開業したタワーの高さは約634メートル。日本どころか世界一高いタワーとして、ギネスブックにも登録されている。

対する関西では、大阪のシンボルとされる通天閣でも約103メートル。2014年開業のあべのハルカスも「日本一高いビル」といわれているが、高さは約300

0メートルほど。スカイツリーどころか、東京タワー（約333メートル）にも遠く及ばない。

しかし、条件を少しだけ変えると結果は違ってくる。例えば、標高約642メートルの生駒山（いこまやま）には電波塔が乱立していて、最も高い読売テレビの電波塔は約81メートル。それに山の高さを合わせると約723メートルだ。なんとスカイツリーを90メートル近くも上回ることになる。少しズルをした気もするが、標高込みなら関東に負けない。

「日本電波塔」という正式名称からわかるように、東京タワーは電波を送信するための施設である。スカイツリーも、東京タワーでは乱立するビル群に電波を妨害される恐れがあり、モバイル端末の電波を安定的に確保するための施設が必要となって建てられた。観光目的だけの施設ではないのだ。

しかし関西だと、東京のように高い電波塔を造る必要はない。関東平野と違って周辺には高い山がいくつもあり、その上に電波塔を建てるだけで事足りる。また、大阪では伊丹（いたみ）空港の離発着ルートの関係で高層ビルは建てにくく、京都や奈良も景観の問題でビル群はあまりないので、電波を建物に妨害されることも少ない。つまり、電波の送受信を目的とした高層タワーを造る理由はないのである。

その観光塔であっても、新たに建てようとしたら条例や空港関連の規制を突破しなければならない。そんな手間暇をかけてまで造る自治体が現れるとは考えられず、今後も関西にスカイツリークラスの塔が造られることはないだろう。

線香花火──長らく関東では紙製、関西ではワラ製だった！

花火は日本の夏の風物詩。その中でも人気なのが線香花火だ。線香花火でメジャーなタイプは「長手牡丹（ながてぼたん）」。カラフルな紙をこより状に巻いたもので、火をつけた側を下に垂らして遊ぶ。この長手牡丹は関東から広まり、今では線香花火の基本形となっている。

ところが、関西では別のタイプがよく遊ばれていた。ワラ製の棒（ワラすぼ）に火薬を付けた「スボ手牡丹」という花火である。燃焼時間は長手牡丹よりは短く、先端を斜め上に向けて火をつけるという違いもある。

これらの線香花火が作られたのは江戸時代だとされている。

江戸時代の関西では、火薬を付けたワラを香炉（こうろ）に立てる遊びが流行（はや）っていた。これが「スボ手牡丹」に変化していったという。のちにこの遊びは江戸にも伝わったのだが、当初はあまり流行らなかった。米農家からワラをもらえる関西とは違い、関東はさほど米作りが盛んではなかったので、花火の材料を集めにくかったからだ。そこで代用品として作られたのが、紙製の線香花火である。

関東では和紙の製造が盛んだったので、紙に火薬を包んで花火とした。のちに「長手牡丹」と呼ばれるこの花火は全国へと広まり、今では線香花火の代名詞となっている。つまり最初に線香花火が作られたのは関西だが、それが関東で改良されたというわけだ。

長手牡丹が全国区となってからも、関西では長くスボ手牡丹が愛用されていた。しかし近年では製造業者が激減したこともあり、スボ手牡丹で遊んだことがない関西の若者も増えている。とはいえ、長らく愛されてきた関西名物。もし見つけることがあっ

たら〝元祖・線香花火〟の情緒を楽しんでみては？

畳の大きさ――関東の6畳は、関西では5畳程度の大きさだって？

日本の不動産広告では、「４・５帖（畳）」など居室の広さを畳の数で表示することが多い。だが、関西と関東では畳のサイズが異なっている場合がある。

関西の畳は主に「京間」という規格が用いられ、大きさは１９１×95・５センチ。これに対し関東の規格は「江戸間」と呼ばれ、１７６×88センチだ。江戸間は京間に比べると長辺が15センチ、短辺は約8センチ短い。計算上、関東の6畳は関西では5畳程度の大きさにしかならない。なぜこのような違いが生じたのだろう？

畳の歴史は古く『古事記』にも記述が見られるが、現在の形に近い畳が登場したのは平安時代ごろとされる。当時の畳は、天皇や公家など都の身分の高い人々だけが使う高級品で、板の間の一部に敷き、持ち運びもできる「置き畳」として利用されていた。

室町時代に入ると、書院造に代表されるように、部屋全体に敷き詰めて使用されるようになり、安土桃山時代には畳のサイズも統一される。それが現在の「京間」

の原型で、都を中心に関西圏全体に広まっていったと考えられている。

一方、江戸間が登場したのは江戸時代のこと。徳川幕府の誕生により都市化する江戸では、住宅の需要が急増した。だが、その際に採用された設計方法は関西のものと異なっていた。

関西では、畳の大きさに合わせて柱を立てる「畳割(たたみわり)」という手法が主流だった。しかし江戸では効率化を図るため、先に柱を立ててその間に畳を当てはめる「柱割(はしらわり)」という手法がとられたのである。これにより、作られた畳は京間に比べ、柱の太さの分だけサイズが小さくなり、そして、その規格が江戸間と呼ばれたというわけだ。

これら以外にも、愛知県や岐阜県など中部地方では「中京間(ちゅうきょうま)」と呼ばれる規格があり、サイズは１８２×91センチ。京間と江戸間の間のサイズである。また地域に関係なく、アパートやマンションなどの集合住宅で使用されているのが、１７０×85センチの「公団間（団地間）」だ。

骨壺の大きさ——西と東では、サイズがまるで違う!

お葬式が終わり、火葬場で故人を火葬し終えたら骨壺に骨を納めることになる。

このとき、関東・関西人が互いの骨壺を見たら驚くことだろう。何しろ骨壺のサイズは東西で大きく違っているからだ。

まず、関東の骨壺は直径が21センチほどである。これに対して、関西のものは大きくても直径15センチ程度。小さいものだと10センチを下回る。つまり、関東の骨壺はかなり大きく、関西はその半分ほどしかないのだ。

そんなに小さいと骨が全部入れられないのでは？　と関東人は疑問に思うだろう。

確かに、この大きさだと全ての骨を納骨できない。だが関西ではそれが正しいのだ。なぜなら関西では、火葬が終わると喉(のど)ぼとけを中心とする部分を納めていき、残った骨は火葬場に残すからだ。関東のように全ての焼骨を入れないので、骨壺が小さくても問題はない。この焼骨をどれだけ納めるかが、そのまま東西のサイズの違いに表れているのである。

かつての関西には、喉ぼとけを「本骨」として宗派の本山に納める風習があった。都市部では廃(すた)れているが、その名残(なごり)から本骨と一部の骨だけを納骨するようになったという。なお、名古屋や中部の一部では、全身の骨を少しずつ納める地域もあるそうだ。

また、骨壺だけでなくお墓にも東西で違いがある。宗派による細かな違いもあるが、骨壺を納める納骨棺も関東では基本的に大きい。納骨口を開けるのも一苦労で、石材屋に頼むことも多いようだ。しかし関西では骨壺に合わせて小さめなので、力が弱い人でも入り口を開けやすい。その代わりに内部は狭く、あまり多くの骨壺は入らなくなっている。

水鉢と香炉も関東のように分かれてはおらず、花を生けるところも高くなっている。そして墓石も関東より白い。これは黒い墓石は縁起が悪いと敬遠されていることや、墓用の黒御影石がとれにくいからであるという。

仏壇 ――シンプルな唐木仏壇が、関東でヒットした意外な理由

今では置かない家庭も増えているが、昔は一家に一台置いてあった仏壇。そんな仏壇には「唐木仏壇」と「塗り仏壇（金仏壇）」の2種類がある。

唐木仏壇は、檜や黒檀などの木材だけを使ったシンプルなもので、この構造はどの宗派でも大きな違いはない。木目模様を活かした穏やかな雰囲気が特徴の唐木仏壇は、主に関東で使われている。

一方、関西の仏壇は塗り仏壇である。宗派ごとの細かな違いはあるけれども、基

本的に塗り仏壇は、漆塗りの木材に金箔を張った豪華な造り。扉を開けると目に飛び込んでくる金塗りの内側は、極楽浄土を再現しているとされる。

「金塗りとはさすが関西は派手好きだ」と感心されるかもしれないが、塗り仏壇を選ぶのは関西人の気質とは全く関係がない。実は歴史が長いのは塗り仏壇のほうだ。

江戸時代に普及したとされる仏壇を持てたのは、上流階級の人間だけ。造りも必然的に豪勢になっていた。庶民が仏壇を祀りだしても、しばらくは塗り仏壇が主流だったのである。

唐木仏壇が造られたのは明治時代だ。しかし、仏壇自体が高額なので、買い替える家庭は少なく、最初はあまり流行らなかったという。

そんな状況が変わったのは、大正～昭和時代にかけて。関東大震災で東京は甚大な被害を出し、太平

洋戦争でも空襲で町は焼け野原となった。復興が進むと、各家庭は焼失した仏壇を買い替えようとしたが、やはり塗り仏壇は豪華なため高い。

そこで関東人は、シンプルでどの宗派でも使いやすい唐木仏壇を求めるようになった。そこから関東では唐木仏壇が浸透していったという。

つまり、東西の仏壇事情を分けたのは災害と戦争だったのである。昨今では、生活の洋風化で仏壇を持たない家庭も増え、マンションなどにも置きやすい小型仏壇が主流になりつつある。

いろはかるた――収載された「ことわざ」は東西で異なる

日本の伝統的な遊びの「かるた」だが、書かれたことわざは、東西共通ではない。

例えば、関東の江戸かるたの「い」は「犬も歩けば棒にあたる」だが、関西の上方(かみがた)かるたでは「一寸先(いっすんさき)は闇(やみ)」。次の「ろ」も東は「論より証拠」、西は「論語読みの論語知らず」。「は」は東が「花より団子」だが、西は「針の穴から天をのぞく」（自分の狭い見識をもとに、大きな事柄について勝手な推測をすること）だった。

このように、いろはかるたは東西でことわざが違い、同じものは数枚程度しかない。いろはかるたが全国に広まったのは、江戸後期とされている。その広まる過程で各地の風習を取り入れ、地方ごとに違うかるたが作られたという。

関東は、江戸っ子らしい気っぷのよさを重んじる言葉選びをした。一方の関西は商業の町である大坂や雅な京の都をイメージして、商売や人づき合いの知恵を組み込んだとされている。遊び道具一つにも、東西の気質が表れているのだ。

そんないろはかるたの違いは、何も東西だけではない。中部には「尾張かるた」という亜種があり、江戸や上方かるたとはまた違ったことわざが採用されている。そのようなご当地かるたは全国各地にあり、総数は１０００種類を超えるという。

扇子 ―― 西の「京扇子」と東の「江戸扇子」。その違いは？

暑い夏にも心地よい風と美しいデザインで、涼を与えてくれる扇子。日本舞踊や歌舞伎、落語といった古典芸能にも欠かせない小道具である。

代表格としては「京扇子」と「江戸扇子」が知られるが、扇子のルーツとなったのは京扇子のほうだ。その歴史は古く、一説によると、平安時代初期に宮中で用いられていた木簡をたばねて綴ったものが起源とされる。

当初は儀式の手順などを記したメモ帳のような道具だったようだが、次第に表面に金銀の箔が散りばめられたり、色鮮やかな絵が描かれたりするなどの装飾が施されるようになる。そして平安中期になると紙製の扇子が登場し、室町時代には庶民にも浸透していった。

一方の江戸扇子は、17世紀末ごろに京都の職人が江戸に移り、浅草寺の境内で扇子を販売したのが始まりと伝わる。この両者の違いとしては、まず絵柄が挙げられる。京扇子には花鳥風月を題材にした優美な絵が描かれることが多いが、江戸扇子は小紋柄や縞模様、文字などを使った渋めの絵柄が中心となっている。

また、扇子に用いられる骨の数は京扇子が25～35本であるのに対し、江戸扇子は15～18本。京扇子のほうが折り目の幅が細いため、全体的に繊細な印象を与える。江戸扇子は骨が少ないぶん見た目はシンプルだが、折り幅が大きいため、閉じたときにパチンという小気味良い音がするのが特徴だ。

これらの違いが生じたのは、京扇子が雅な公家文化の中で発展したのに対し、江戸扇子は粋を重んじる町人文化の中で育まれたことが背景にあると考えられる。

また、京扇子は分業制で複数の職人によって作られるが、江戸扇子の職人は現在数人程度しかいない。

銭湯——東西で「湯船の位置」「桶の大きさ」が異なるって?!

日本人は世界でも類を見ない風呂好きで知られるが、その入浴文化を長年にわたって支え続けてきたのが銭湯だ。ただ古くから人々の生活に根差した場所だっただけに、銭湯の構造などには地域差が見られる。例えば浴槽（よくそう）の位置がそうだ。

関東の銭湯では浴槽は浴室の奥にあるのが一般的だが、関西では中央に設置されていることが多い。その理由は江戸時代、肉体労働者が多かった関東では汗や泥を洗い流してから湯船に浸（つ）かる習慣があった。そのため浴槽は奥に設置された。これに対し、商人が多かった関西では湯船で温まってから身体を洗っていたので、真ん中に据（す）えられるようになったとの説がある。

また関西の銭湯では、浴槽の周囲に「かまち」や「踏み込み」と呼ばれる腰かけ用の段が設置されていることがある。客はここで浴槽の湯をくんでかけ湯をするが、関東では最初にカラン（蛇口）の湯で身体を洗うため、このような設備が見られることはあまりない。

さらに銭湯でお馴染みの「ケロリン桶（おけ）」の大きさも東西で異なり、関西のほうが若干小さい仕様になっている。その理由は「かけ湯をする際に、関東版のサイズでは重くて使いづらい」という声があったためだ。一方、「桶が大きいと客が湯を使いすぎるから」という関西人の合理的精神が影響したとの説もある。

ところで銭湯といえば、神社仏閣に見られる唐破風(からはふ)を正面玄関に備えた宮造りの建物を連想する人もいるかもしれない。しかしこれは関東が中心で、関西ではさほど見られない。

この様式の銭湯が現れるようになったのは、1923年の関東大震災以後のこと。震災で意気消沈(いきしょうちん)する人々を元気づけようと、宮大工が唐破風を取り入れた豪華な銭湯を建設したことがきっかけといわれる。これが評判となり、関東では宮造りの銭湯が広まっていったという。

銭湯の壁絵

関東はペンキ絵で富士山が人気。では関西は?

銭湯の魅力の一つとして挙げられるのが、浴室に描かれた壁絵だ。広い浴槽に浸かりながら大きな絵を眺めるのは銭湯ならではの楽しみといえる。だが、この壁絵も東西で差異があるようだ。

まず関東では壁に直接絵を描く「ペンキ絵」が主流で、富士山を題材にした絵画が多く見受けられる。その発祥とされているのが、東京都千代田区神田猿楽町にあった「キカイ湯」（廃業）だ。

1912年に店主が銭湯を増築する際、「子どもたちが喜んで風呂に入るように」と壁に絵を描くことを発案し、川越広四郎（かわごえこうしろう）という画家に制作を依頼。川越が静岡の出身だったことからペンキで富士山を描いたところ、これが大変な評判となり、次第に東京近郊の銭湯に広まっていったという。

富士山以外にも各地の名勝などを題材にしたペンキ絵が描かれたが、タブーとされたのは紅葉や夕日、猿など。これらは「落ちる」「沈む」「（客が）去る」を連想させ、縁起が悪いと考えられたのだ。

一方、関西の銭湯絵画は「タイル絵」が中心。また、関東では定番の富士山の絵もあまり見られない。

これは関東ほど富士山が身近な存在でなかったためだろう。そのため関西のタイル絵にはこれといった定番はなく、平安神宮や大阪城、神戸港の夜景や海中絵図、アルプスの山々などバラエティに富んだ絵画が制作された。

このタイル絵のメリットとしては、耐久性の高さが挙げられる。常に湿気にさらされる浴室の絵画は、ペンキ絵であれば定期的な補修が求められるが、タイル絵ならその必要もあまりない。このランニングコストの低さも、実利を重んじる関西人には魅力的だったのかもしれない。

アーケード商店街——その数は西高東低だが、近年全国的に減っている

昭和の末期ごろまで、商店街の象徴とされていたのがアーケードだ。アーケードとは商店街の通路を覆った天蓋(てんがい)をいい、悪天候でも買い物ができることから、かつては近代的商店街の象徴だった。

かつて日本各地に設けられた「アーケード」という名称は関東で生まれたという。大正時代の「帝国ホテルライト館」がホテル直結のショッピング街に名付けたのが始まりで、そこから天蓋付きの商店街がアーケードと呼ばれるようになったという。

しかし、覆い付きの商店はすでに江戸時代からあり、寛文年間（1661～73年）に土佐国（現高知県）の魚棚（現魚の棚商店街）で、商店間に「日覆い」という大布をつけた記録が残っている。これは雨除けだけでなく、商品の日焼け防止も目的だったようだ。

そんなアーケード商店街は現在も日本全国に残っていて、頭上を完全に覆った全蓋式だけでも600か所以上もある。その割合は、関西が関東より圧倒的に多い。まず、関東は全長800メートルの「武蔵小山商店街パルム」を筆頭とした約80か所。これに対して、関西は大阪府だけで217か所。単独で倍以上の差をつけており、まさにアーケード商店街の集中地帯だ。

これほどの差がついているのは、すでに昭和初期から日覆い式の商店街があったので、アーケードの設置に抵抗がなかったこと、そして全天候型というスタイルに新しいもの好きの大阪人が飛びついたことが理由という。

しかし、そんなアーケードも商店街の全国的な衰退で存続の危機にある。大部分が設置から数十年が経っているが、後継者不足と資金難で維持もままならず、撤去する商店街も少なくない。現在では開放的な雰囲気が好まれることもあり、いずれは日本からアーケードが姿を消す日が来るかもしれない。

❸

〝あっち側〟の「食の常識」に驚く！

東京の人は豚まんにカラシを付けへんて、ホンマ？

肉じゃがの肉、「関東は豚」で「関西は牛」になったわけ

肉じゃがもカレーも家庭料理では定番で、各家庭独特の味も存在するという。ただ関東の人と関西の人が、それぞれのカレーと肉じゃがを食べたら違和感を覚えるかもしれない。なぜなら、使う肉が東西で違っているからだ。

関東では肉といえば豚肉だが、関西での定番は牛肉だ。これは国の調査でも証明されていて、総務省の2016〜18年までの家計調査によれば、牛肉の年間支出額では1〜7位までを関西の都市が独占している。

逆に豚肉はトップ3を関東が占め、関西では11位の奈良市が最も高い。そうなれば当然、肉じゃがとカレーの肉も種類が異なり、関東では豚じゃがとポークカレー、逆に関西では牛じゃがとビーフカレーが主流なのである。

なぜ東西で好きな肉が違うのかは、気候のせいとする説がある。関東は平野であるために冬の寒さは厳しい。その寒さ対策のために脂肪分の多い豚肉を好むようになった。しかし関西は冬もさほど寒くないので、豚をあまり食べないという。

そもそも飼育されていた家畜が違うから、という説も有力だ。関西では水田を耕すために、牛がよく飼育されていた。そのため食肉も必然的に牛肉が多くなる。対

する関東では、米作よりも小麦やイモの栽培が盛んだった。それらを豚の飼料にする農家もかなりあったために豚肉食が定着したとされている。

つまりは地域の歴史や風土の違いが、肉の好みを分けたのだという。

どちらの説にしても、東西の肉の好みがカレーや肉じゃがに反映されていることに変わりはない。特に関西では「肉といえば牛」というこだわりが強く、肉野菜炒めや肉うどんも基本は牛肉オンリーだ。

そのため、関西人が東の肉じゃがを知らずに食べたら「なんで豚肉なんや？」と首をかしげるかもしれない。ただ、現代では収入減で安い豚肉を食べる関西人も増えているという。

関西は「豚まん」、関東は「肉まん」と呼び、食べ方も異なる！

小麦粉を発酵させたやわらかい皮に、豚肉とタマネギ、タケノコ、シイタケなどを包み込んだ「肉まん」。小腹がすいたときに食べやすく、具のバリエーションも自在なため、コンビニやスーパーなどでも大人気だ。

関東では肉まんという呼び方が浸透しており、全国的にもほぼ「肉まん」表記である。しかし、関西では「551の蓬莱」や「二見」などに代表されるように、その呼び名は「豚まん」である。

前項で説明したとおり、関西では一般的に肉といえば牛肉のイメージが強い。そこで「肉まん」という呼び方だと、「牛肉がたっぷり入っている」と誤解を生む。そのため豚肉をメインに使っていることを表す必要があり、あえて「豚まん」と呼ぶのである。

食べ方の習慣の違いもある。関東では何も付けずに食べる人が多いようだが、大阪は豚まんにカラシ、九州地方では酢醤油を付けて食べるのが主流。そのためコンビニチェーンの中でも、大阪を中心とした店舗ではカラシを、九州地区を中心とした店舗では酢醤油を渡すサービスをしているという。

歴史をたどると、中華まんが日本に根付いたきっかけは東京の「新宿中村屋」。1927年、創始者が

中国の「包子（パオズ）」を日本人向けにあっさり味にアレンジして発売したのが最初だ。

今ではすっかり豚まんが大阪土産として有名になったので、「関西の名物」というイメージも強くなっているが、始まりは関東が先なのだ。

さらに、関西では三重県に本社を持つ「井村屋」も有名だが、こちらは「肉まん」表記。そんなこともあり、関西でも蓬莱・一見のでっぷりと肉厚なものを「豚まん」、あっさりとコンパクトな井村屋を「肉まん」と呼び分けるツウもいる。

関西特有の「他人丼」「木の葉丼」「いとこ丼」って？

親子丼といえば、鶏肉の玉子とじをごはんにかける丼物料理だ。鶏肉と卵を親子に見立てたのが料理名の由来といわれる。そんな親子丼の親戚のような料理があるのだが、これも東西では異なっている。

その料理が、牛肉とタマネギを卵でとじた丼物だ。関西では、これを「他人丼」と呼ぶ。主に地域の定食屋などで提供される料理で、大阪や京都で人気だ。牛と卵で全く関係がないから他人という、いかにも関西らしいユニークなネーミングではある。

ただ、この呼び名は関東だと通用しない。「料理がない」のではなく「呼び名が通用しない」と書いたのは、東京にも似た丼物があるからだ。

それが「開花（化）丼」で、牛肉の代わりに豚肉を玉子とじにした丼物だ。なお、一部では大阪のように牛肉を調理することもあるようで、現在はこれらに大きな違いはあまりない。

開花丼のルーツは明治時代にある。日本の肉食は江戸時代に下火となったが、文明開化で事実上解禁された。肉を卵でとじる丼物が普及しだしたのも、海外から材料のタマネギが伝わったこのころだ。こうした由来から、「文明開化の丼＝開化丼」と呼ばれだし、いつしか開花丼に変化したというわけだ。

さて、関西には他人丼のほかにも「木の葉丼」や「いとこ丼」という、親子丼に似た料理がある。木の葉丼は肉の代わりにかまぼこを卵でとじたもの。具を木の葉に見立てたのが名前の由来といい、安く腹いっぱい食べられるので関西では人気料理の一つになっている。

これに対して、いとこ丼で使われるのは鴨（かも）の肉。鳥肉だけど鶏ではないので「いとこ」というわけだ。ちなみに北海道にもいとこ丼はあるが、こちらはサーモンとイクラをのせた海鮮丼である。

このように関西にはいろいろな親子丼の亜種がある。関西に来たときは、食べ比べてみるのも楽しいかもしれない。逆に、関西の人が関東で他人丼を食べたいときは、開花丼を探すといいだろう。

すき焼きは、西と東でレシピがこんなに違う！

関東と関西では、同じメニュー名でもレシピの違う料理が多く、すき焼きはその中の一つ。

すき焼きといえば、関東人なら牛肉や野菜を煮込む鍋料理を思い浮かべるだろう。水と複数の調味料を合わせた「割り下」を鍋に注ぎ、野菜、豆腐、牛肉を入れて、煮立ったところで食べる。関東の食卓ではおなじみの光景かもしれないが、この作り方は関西では行わない。

関西ではすき焼きを作るとき、最初に肉を焼く。牛脂や油をひいた鍋に砂糖やみりん、醤油などを合わせた調味料を注いでから、牛肉を軽く焼いて食べるのだ。野菜を煮込むのは焼いた肉を食べ終わってから。醤油や酒を足して、ネギや豆腐、タマネギなどと一緒に追加の肉を煮ていくのである。

関東では鍋で煮る、関西は名前どおりに肉を焼く。どうして作り方がこうも違うのかといえば、そこには明治時代に流行した料理が関わっている。

江戸時代の日本では仏教の影響であまり肉を食べなかったが、明治になると西洋文化の流入で肉食もオープンになった。そこで生まれた料理が、肉と野菜を煮込む牛鍋だ。この牛鍋が、関東風すき焼きの原型である。

文明開化のシンボルとされた牛鍋は瞬く間に関東で流行し、次第に関西にも進出した。ところが関西には、すでに肉を食べる文化があった。

実は仏教が広まったあとも細々とだが肉食は続いていて、関西では肉を焼く料理をすき焼きと呼んでいた。「農具の鋤で焼いたから」「肉を薄く切って剥き身にするから」と語源については諸説あり、肉の代わりに魚を焼く「魚すき」もあった。関東から牛鍋が伝わると、肉を焼く関西の風習と合体。こうして最初に肉を焼く関西風が誕生したという。

やがて大正時代になると、東京に関西からすき焼き屋が進出していった。その影響で既存の牛鍋店もすき焼きを名乗りだす。今では東でも西でも名前はすき焼きで統一されていて、海外でも有名な日本料理の一つとなっている。

関東人は理解不能?! 関西人が愛する「お好み焼き定食」

関西といえば「粉もん文化」。つまりは小麦粉から作る料理（粉食）を好む食文化の地域である。なかでもお好み焼きやたこ焼きへの愛着はすさまじく、白飯（しろめし）と一緒に食べる「お好み焼き定食」もあるほどだ。

ところが、関東の人はこれらを理解できないらしい。お好み焼きは白飯と同じ炭水化物なのだから、栄養バランスも悪いと感じるようなのだ。

「ならば、ラーメン定食はどうなんだ?」という意見も聞こえてきそうだが、そもそも関東人にとって、お好み焼きは「おやつ」という感覚が強い。それは、お好み焼きのルーツが関東では駄菓子だったことに影響を受けた可能性がある。

関西でお好み焼き定食が定着したのは、関西の昼食事情にあるという。お好み焼きは簡単に作れるので、大阪の家庭では休日の昼食の定番だった。しかし、それだけでは、育ち盛りの子どもを抱える家だと足りない。そこで白米や味噌（みそ）汁を一緒に出して腹の足しにしたという。

お好み焼き定食以外にも、焼きそばとごはんがセットの焼きそば定食や、うどんに餅（もち）を入れる力うどんのように、「炭水化物＋炭水化物」は関西だとメジャーな組み合わせ。最近流行りの糖質制限なんてどこ吹く風の食文化である。

東京で人気のラーメンが、大阪ではイマイチぱっとしない事情

関東と関西を比較するとき、よく言われるのが「関西のほうが料理はおいしい」というフレーズだ。もちろん、関東にも関西を上回る味付けの料理を出すレストランなどは多いが、一般的な食堂レベルでは関西のほうがコストパフォーマンスが高いとの意見をよく耳にする。しかし、こと大阪に限って言えば、関東に勝てない料理がある。それは「ラーメン」だ。

大阪にも有名なラーメン店はあるが、店舗数では東京に太刀打ちできない。メニューにおいても、大阪はほぼ定番メニューで占められていて、比較的バラエティは少ない。その理由は、やはり大阪は「うどん」の街で、とにかく安価だからだろう。

例えば、ラーメン1杯に1000円もの値段が付いていれば、大阪人のほとんどは「高い」と思う。「麺に1000円も出せるか！」というのが理由だ。うどんであれば200円でお釣りがくる店もあるため、いくら出汁や麺に凝り、トッピングを工夫したとしても比較対象にはならない。

低価格が当たり前とされているので、店側もコストをかけるわけにはいかない。「値段は高いが味はいい」というコンセプトは受け入れられなくなり、「味はまあまあだが、値段は安い」という店が増える。しかし、それではラーメンだけでの経営は難しいため、結果、大阪にラーメン専門店は少なく、ご当地ラーメンも数少ない。

ただ、ほかの関西の都市では事情が異なる。神戸は中華街などで本格的な中華風麺料理が味わえるし、奈良の「天理ラーメン」や、某テレビ番組で日本一に輝いた和歌山の「中華そば」はご当地ラーメンとして有名だ。京都では左京区一乗寺・東大路通界隈がラーメンの激戦区で、意外とこってり味がもてはやされる。これは、人口の約1割が学生という土地柄から若者が多く、さらに全国から集うためラーメンの需要が高いと考えられる。

意外や、京都人は日本一パンが好き！

メロンパン、食パン、コッペパンなどが次々に人気を集める昨今。では、関東と関西ではどちらがよりパン好きなのか？

総務省が行った２０１８〜20年の家計調査によると、１世帯（２人以上）当たりの数量（g）換算で、パンの消費量は第１位が岡山市、第２位は大阪市で第３位は神戸市。関東は15位でようやく相模原（さがみはら）市がランクインする。同じく１世帯当たりの購入金額でもトップ３は神戸市、岡山市、京都市が独占していて、東京都区部は第４位。関西人がどれほどパン好きなのかがわかる。

実は、今でこそ岡山市が消費量１位となってはいるが、トップに立ったのはここ数年の話。それまでは別の都市がナンバー１だった。その都市とは、購入金額第３位の京都である。２０１２〜16年の調査では、京都市がパン消費量第１位。前述の調査でも第４位という、日本屈指のパン好きの町なのだ。

実際、京都市内には数多くのパン屋があり、都道府県別のパン屋店舗数も京都が第２位。京都といえば古都のイメージが強いので、西洋の雰囲気が強いパンがメジャーであるとは意外だろう。

なぜ京都人がここまでパン好きなのかは、実のところわかっていない。有力な説は喫茶店の多さだ。実はコーヒーの消費量でも京都は上位に入っていて、喫茶店の数も必然的に多くなっている。コーヒーのお供といえばパン。そのため京都にパン食が定着したというわけだ。

このほかには、京都の人間は意外と新しいものが好きなので、明治以降にパンが伝わると積極的に取り入れていった、和菓子の問屋から餡(あん)が入手しやすかったからアンパンが多く作られて広まった、もしくは戦後の進駐軍の拠点から一般に伝わったという説もあり、はっきりしたことはわからない。しかしどんな由来であっても、京都人がパンをこよなく愛していることは事実だろう。

そんな京都人が一番好きだとされるパンは「カルネ」だ。半分に切った丸形パンにハムとタマネギを挟んだもので、京都市内の老舗(しにせ)パン店「志津屋(しづや)」で食べられる。ソウルフードが洋食というのも京都の意外な一面だろう。

関東では定番だが、関西にないおでんの具あれこれ

おでんといえば冬の料理の定番。関西では「関東炊き(関東煮)」と呼ばれたよう

に、おでんの由来は関東の味噌煮込みだという。これが江戸時代に関西へと伝わり、上方風に味付けされた。それが大正時代から関東に持ち込まれ、おでんとして全国で食べられるようになったという。

大根、こんにゃく、はんぺんなどのおでんの具材で、関東人が好んで食べるのが「ちくわぶ」だ。小麦粉と水を練り合わせて作るこの具は、主にちくわの代用品として作られたといわれる。そのもっちりした独特の食感がウケて、今では関東風おでんの定番の具材になっている。

だが、関西人にちくわぶの話をしても、「ちくわと言い間違えてる?」と勘違いされるだろう。関西のおでんにはちくわぶがなく、存在すら知らない人も少なくないからだ。関東風のおでんを振る舞ったら、「東京のちくわは変わった味をしている」と勘違いされるかもしれない。

逆に、関西でしかお目にかかれなかった具材もある。「牛すじ」、つまりは牛のアキレス腱や膜である。独特の脂っぽさがおいしい関西おでんの定番だ。関西人にはメジャーな具材だが、東京にはない。「すじ」という具材はあるのだが、牛肉ではなく魚の練り物だ。関西人が関東ですじを頼むと、魚が出てくるので注意されたい。

ただ、最近では串ものの牛すじが東京でも売られているので、もはやそれほどマイナーではないようだ。同じように、昔は関東限定だった「つみれ」や「白はんぺん」も、今は関西にも広まり、意外と人気だという。

さらに、東西両方にあるが呼び名が違う具材もある。魚のすり身を油で揚げた「さつま揚げ」は、関東のおでんに欠かせない一品。これも関西ではあまり知られていないが、「てんぷら」といえば相手もわかるかもしれない。西でのさつま揚げの呼び名がてんぷらだからだ。

そんな地域性の違いから、コンビニでもおでんは地域ごとに味や種類が微妙に異なっている。

関西の定番「ポールウインナー」を関東人は知らない!

地域では知らぬものなしの名物が、実は全国区ではなかったということは結構ある。その一つが「ポールウインナー」だ。

これは豚肉を使ったソーセージの一種で、オレンジ色のフィルムがトレードマーク。販売元の伊藤ハムによると、年間販売数は平均1億本! 特に関西での人気は凄まじく、誰もが一度は食べたことがあるという、定番の味だ。

関西では冷蔵庫に常備している家庭も多いポールウインナーだが、関東ではかなりマイナーな食品だ。1億本の販売数も、その9割を関西が占めており、東京などでは数えるほどしか売れていない。そもそも名前すら知らない人が圧倒的であるという。

ここまで知名度が偏っているのは、ポールウインナーが関東での魚肉ソーセージのシェアを崩せなかったからだとされている。

ポールウインナーは、伊藤ハムの創業者・伊藤傳三氏が1934年に開発した。セロファンで本体を覆っているので保存がきき、衛生的なウインナーは50年代から売り上げを伸ばし、関西の定番商品として受け入れられていく。

50年代末には関東にも進出したのだが、思いのほか売れなかった。すでに魚肉ソーセージが定着していたからだ。魚肉ソーセージはポールウインナーより安価で日持ちもしたため、当時は「東の横綱」と呼ばれるほどのソウルフードになっていたのだ。

伊藤ハムはそんな魚肉ソーセージの牙城を崩せず、関東ではほぼ敗退。今も細々と売ってはいるが、関東での知名度は非常に低くなっている。対照的に、先にシェアを広めた関西では注文が殺到し、大阪とその周辺のみだが、60年代には小学校の給食メニューに選ばれるほどの名物になった。なお、給食事業からは90年代に撤退している。

まさか大阪の定番食が関東では無名であるとは、関西人も驚きだろう。しかし伊藤ハムは、今も関東進出を諦めていないらしい。

えっ、関東では焼き鳥屋で豚肉が出てくるって?!

関西人が「焼き鳥」と聞けば、誰もが串にネギと鳥肉を刺して焼いた料理を思い出す。だからこそ、「関東で焼き鳥を頼むと豚肉が出る店がある」と聞いても、にわかには信じられないだろう。

関西の焼き鳥といえば、当然鶏肉。豚肉を焼いた「ヤキトン」は非常にマイナーだし、牛や豚の内臓を使った「モツ焼き」という名称も、全国展開のチェーン店を除けばほぼ存在しない。

ところが、関東ではこうした鶏肉以外の焼き鳥が人気メニューなのだ。今でこそ鶏肉を出す店も多くなってはいるが、かつては肉ではなく牛や豚の内臓、いわゆる

「モツ」を焼き鳥として売るほうが普通だった。現在でも、昔ながらの店では「正肉」と言わないと鶏肉を出さないこともあるという。

焼き鳥自体は江戸時代以前からあったが、そのころはスズメや山鳥が串焼きにされていた。鶏を材料にした焼き鳥が関東で一般化したのは、明治時代の後期だという。

しかし当時は、今ほど簡単に鶏肉が手に入らない。そのため、当時の焼き鳥店では、牛や豚の内臓を焼いて売る店が多かったという。

なぜなら当時の飲食店では、動物の内臓を廃棄していたからだ。洋食店を回るだけで、捨てる予定のモツが簡単に手に入ったのである。そんな歴史の名残から、今でも小鳥やモツを出す店が珍しくなく、豚肉を串焼きにしたヤキトンも人気メニューとなっているのだ。

なぜ、関東の蒲焼きには「頭」が付いていないのか

「土用の丑の日にうなぎの蒲焼き」は定番だが、その蒲焼きを作るとき、関東では背中からさばき、関西では腹から裂く。

東と西におけるさばき方の違いについて、よくいわれる説が江戸時代の名残だ。今のようにうなぎを開いて調理する風習は江戸時代から始まったとされているが、江戸はいわずと知れた武士の町。「腹から裂くのは切腹を連想させて縁起が悪い」という理由で嫌われた。そのため背中を開く方法が一般的になったという。一方の関西では「自腹を切ってもてなす」ことを表すために、腹開きが広まったという。

しかし、現在ではこの説に疑問が持たれており、単に「背からさばくと形が崩れにくいので関東では背開き、腹からのほうがスピーディーなので効率重視の関西では腹開きが流行った」という説が有力だ。

東西で異なるのは、さばき方だけではない。焼き方についても、関東では最初に素焼きにしてから一度蒸し、それから再び焼くのだが、関西では蒸さずに焼くのが普通だ。これは関東と関西でタレの質が違うので、焼き方も異なるのだという。これによって関東の蒲焼きはあっさりとした風味に仕上がり、関西は脂がのった香ば

しい味わいに仕上がる。

さらに、うなぎの頭の扱い方も東西で異なる。関東では切り落とし、関西は「魚は尾頭付きが当たり前」というこだわりから残すのが普通。また、関西のうな重はご飯の間に蒲焼きを挟んで蒸すので、「間蒸し＝まむし」とも呼ばれる。

ただ、最近では関東式の焼き方をする関西のうなぎ店も増えているようだ。関西の焼き方だと時間がかかるが、関東のように蒸してから焼けば調理時間を短縮できる。時間効率を重視するという、関西らしい理由ではある。

出汁の味が東西で異なるのは「水」のせい?!

関東と関西では料理の味が違うと、よくいわれる。関東の味付けは濃くて、関西では薄い。特にうどんやそばでは、東京のそれは辛くて飲みにくい、と苦手意識を持つ関西人も多い。

味付けの違いについては、醤油の好みや野菜の味の違いといった原因が絡み合っているが、その根底には出汁の違いもあるという。

食材を煮て、うま味成分を溶け込ませる出汁は日本料理の基礎である。その種類は地域によってさまざまで、なかでも人気なのがカツオ節と昆布である。関東ではカツオ節でとった出汁が好まれ、関西は昆布で出汁をとる傾向が強い。東京の味付けは濃くて大阪は薄いといわれるのも、こうした出汁の違いが大きいとされている。

出汁の好みがなぜ東西で違うのかというと、まずは流通の関係だ。江戸時代の海産物は大坂にいったん集まるので、現地で昆布を入手しやすかった。だが関東ではすぐに昆布が到着しないので、入手しやすいカツオ節が好まれたという。

もう一つの理由は水の性質だ。関東の水は大部分が硬水。つまりはミネラル分を多く含む水である。関東地方は火山灰土が積み重なったローム層という地層であるため、地下水にミネラルが溶け込みやすいのだ。

一方、関西の地層は軟らかい粘土質なので、水は軟水だ。こうした水質の違いは農業などに大きく影響したが、出汁の好みまで左右することになった。

なぜなら、関東の水質では昆布で出汁がとりにくい。先述したように硬水はミネラルが多いのだが、それだと浸透圧が高くなりすぎ、昆布のうま味成分であるグルタミン酸が溶けだしにくい。そのため関東では昆布出汁があまり広まらず、硬水でもうま味が出るカツオ節出汁が主流になったという。

逆に関西の水はミネラル分が少ないので、浸透圧もちょうどよくなり昆布のうま味成分が溶けやすい。つまり、関東と関西で好まれる出汁が違うのは、江戸時代の環境と水の違いにあったというわけだ。

なぜ関東の玉子焼きは甘く、関西は甘くないのか？

関東の玉子焼きは甘い。作るときに砂糖を混ぜるからで、仕上げるときは一回で巻き終える「厚焼き玉子」だ。飲食店では「江戸風」と呼ばれることも多い。

対する関西では砂糖は使わない。出汁をきかせた卵を何度もひっくり返す「出汁巻き玉子」となっている。食べるときも醤油をかける関東とは違い、何もかけないことが多い。「出汁巻き定食」という玉子焼きメインの定食もあり、東京でも「京風」として出汁巻きを売る店もあるようだ。

このように味付けが違うので、関西人が関東風を食べたら「妙に甘ったるい」と違和感を訴えることもある。

関東の玉子焼きが甘くなった理由については諸説あり、江戸時代に作られたという説が有力だ。当時の江戸では卵を食べる機会が増えていて、卵料理の専門店もあったといわれている。しかし卵は庶民が気軽に買えるものではなく、砂糖も簡単には入手できない高級食材だった。それでも江戸っ子は見栄と粋を大事にする。高級な卵と砂糖が手に入れば、豪快に使うのが粋だとされた。

また、江戸っ子の間では甘辛い味が好まれていたので、玉子焼きも甘い味付けにされたとする説もある。

このほかに考えられているのは、寿司との関係だ。江戸から発祥した「江戸前寿司」には玉子焼きをのせた「玉」というネタがある。卵に魚のすり身や調味料を加えて作るもので、その調理過程で砂糖が使われた。

江戸時代では食品の保存技術が未発達なので、防腐目的でネタに仕込んでいたのである。その甘い味付けの玉が庶民にも広がり、関東の玉子焼きは甘くなったらしい。しかし家庭への普及は戦後からとする説も根強く、正しい理由は不明なままだ。

これに対して、関西では出汁文化の影響で、今のような出汁入り玉子焼きになったという。

関西の食パンは厚切り、関東は薄切りが好まれる理由

前述したように、パンへの愛は西高東低であり、それは総務省の家計調査にも表

れている。しかし東西で違うのは、消費量や購入金額だけではない。

例えばパンに対する認識だ。関東でのパンはあくまでも間食(かんしょく)であるという。なぜなら東京では、明治時代のころに菓子パンをきっかけにパン食が広まったので、今も餡(あん)パンのような手軽でおいしいものが人気なのである。

ところが、関西ではちゃんとした食事として見られている。関西でのパンはホテルやレストランのメニューとして出されていた。そのため、パンは普段の食事として食べるものというイメージが根強く、食べ応えのあるボリューミィなものが好まれるというのだ。

つまり関東のパンはおやつ、関西のパンはごはん。そんな好みの違いは、食パンにも表れている。

食パンはあらかじめスライスして売られているも

のも多いが、何枚切りにするかは地方で異なる。関東では6枚切りが主流で、さらに薄い8枚切りもよく売れている。一方の関西では5枚切り、4枚切りといった厚めのものが好まれる。実際、関東では4枚切りにはあまりお目にかからず、関西では8枚切りを置かない店も多い。ようするに、関東は薄切り、関西は厚切りが主流なのだ。

こうした食パンの好みを分けているのが、先述したパンに対する認識の違いだ。つまり、関東では手軽に食べられる薄切りが人気になった。逆に関西では腹が満たされる厚切りが好まれているという。

別の説としては「粉もん文化」との関係も考えられている。お好み焼きやうどんなどのもっちりとした食べ物が大好きな関西人は、パンにも同じような食べ応えを求めて、分厚いものを好むようになったという説だ。説の真偽はさておき、いかにも関西人らしい説といえよう。

関東で人気のウーロンハイ。関西ではそうでもないって？

仕事のつき合いなどで関西人が関東人と「まあ一杯」というとき、驚かされるのが好まれるお酒の種類だ。最初の「とりあえずビール」はほぼ同じだとしても、その次が異なる。

２０２０年に市場調査会社のアスマークが発表したデータによると、関東人は関西人よりもワインやハイボールを好み、幅広い種類のお酒をたしなむことがわかった。そして関東ではメジャーでも、関西だと案外マイナーなお酒もある。それが「ウーロンハイ」だ。

ウーロンハイとは、焼酎をウーロン茶で割ったドリンクだ。かつては年配の人が好む飲み物と思われていたようだが、今はヘルシーで飲みやすく、大抵の料理に合うことが評価され、女性や健康志向の人にも広く親しまれている。

「最初はビールで乾杯してから、ウーロンハイで口直し」という飲み方もあるように、関東では置いていない店がほぼないほどの人気メニューである。

ところが、関西での人気はいまひとつ。というのも、大阪などでは「ウーロンハイは、お金を払ってまで飲むものではない」との意識がある。「お茶と酒を混ぜただけのものを、わざわざ店で飲む必要はない」という理由らしい。

そのために、居酒屋人気はもちろん、コンビニやスーパーでは置いていることもまれだった。同じように「緑茶ハイ」もあまり有名ではなく、缶チューハイとしてもめったに見つからない。

これらに共通するのは、自宅でも比較的簡単に飲めるということで、「特別感のないものにお金を払いたくない」という関西人らしい合理的な考え方の表れだろう。とはいえ、水割りやお湯割りはどこにでもある。それは、ロックで飲むのと水で割るのとでは価格は同じだが、ウーロンハイ、緑茶ハイは若干値段が上がるといったところが要因でもある。

こうした飲み物の好みはお酒に限ったことではなく、ティーバッグで気軽に飲めるからと、紅茶もお店で飲む人は多くないという。ただし、関東の影響を受けてか、もしくは一度飲んでみて気に入ったのか、現在では関西でもウーロンハイ、緑茶ハイを好む人は増えつつあるようだ。

関西で「お新香」といえば、漬物の総称にあらず

漬物は野菜などを塩や酢に漬け込んだ食品の一種で、世界中でキムチやメンマが食べられているように、日本食でも多種多様な漬物が作られている。たくあん、浅漬け、いぶりがっこ、そして梅干しも厳密には漬物の一種である。

そんな漬物には「お新香（しんこ）」という呼び名がある。関東人がこれを聞けば、浅漬けやぬか漬けといった、さまざまな漬物を想像するはずだ。なぜなら関東でのお新香は、漬物全般を指す用語だから。全国チェーンの牛丼屋などでは、白菜の浅漬けをお新香として販売しているところもある。

ところが、関西だと白菜がお新香として出ると違和感を覚える人も多い。なぜなら、関西人にとってお新香とはたくあんのこと。実際、京都の方言ではたくあんを「おこうこ」と呼び、和歌山でも「こんこ」という。大阪でも漬物を「こうこ」というが、大体はたくあんだ。普通の漬物は「つけもん」である。

このように、関西では白菜やナスは別の漬物として扱われたので、今でも白菜のお新香が出されると首をかしげる人もいるという。

なぜ呼び名が違うのかは諸説ある。有力な説としては、「漬物の歴史が関係している」というものだ。

漬物が歴史の文献に登場するのは奈良時代からで、当初は塩漬けが主流だった。味噌や酢が開発されると漬物の種類も爆発的に増えていき、江戸時代には「香の物」として庶民の間にも広まった。この香の物がお新香の語源といわれ、江戸では香の物屋が流行ったことから「漬物＝お新香」という認識が定着したという。

一方の関西では、明治時代から戦前戦後にたくあんが流行ったことで、漬物といえばたくあんと認識された、ともいわれている。

お好み焼きの「切り方」で、関東人か関西人かはバレる！

「粉もん」の定番料理として広く親しまれているお好み焼き。だが、食べる際の〝作法〟については関東と関西で大きく異なるようだ。

まず関西のお好み焼き屋の多くは、店側が生地を焼いて客に提供する方式を採用しており、客も1人1枚をオーダーする。これに対し、関東では客が自分で生地を焼くスタイルの店が多数派で、1枚のお好み焼きを複数人でシェアして食べることが多い。

そのためカットの仕方も異なり、関西では食べやすいようにコテ（テコ、ヘラともいう）で格子状に切るのが一般的だ。一方、関東ではシェアが前提になっているため、ピザやホールケーキを切るときのように放射状にカットするのが主流だ。

関西人はお好み焼きへの思い入れが強く、2012年に、あるアニメ番組で大阪出身のキャラクターが後者の切り方をしたところ、ネット上で「邪道だ」「ありえない」などのコメントが相次いだことがあった。

違いはほかにもあって、関西では鉄板の上で切り分けたお好み焼きをそのままコテにのせて口に運ぶが、関東では皿にのせてから箸で食べる人が多い。

ちなみに関西でも、かつては客が自分で生地を焼くスタイルの店が多かった。店側が焼く方式に転換したのは、一説では「店に焼いてもらったほうが時間の節約になる」という関西人の合理的な考えが反映されたためとされている。

関東発祥のもんじゃ焼きを、関西人は知らないという事実

東京で「粉もん」といえば、もんじゃ焼きだ。もんじゃ焼きは、小麦粉と出汁を合わせたゆるい液体の生地を、鉄板に焦がしながら食べるローカルフードである。

そのルーツは駄菓子で、語源は「文字焼き」が転訛(てんか)したものとされる。江戸時代にはすでに売られていたとされ、水で溶いたうどん粉で鉄板に文字を書いて焼くという、知育要素のあるお菓子だった。

みんなで1枚をシェアして食べるスタイルも、おやつならでは。この「1枚をシェア」は、関東人のお好み焼きの食べ方として前述した。

だが、もんじゃ焼きを関西で食べようとすると、苦労する羽目になる。なぜなら、関西にはもんじゃ焼きを出す店が少なく、あったとしてもお好み焼き屋のメニューの一つとして置いている程度だ。

そのため、もんじゃ焼きの作り方どころか、食べたことのない人も数多い。食感と見た目で敬遠する関西人もいるが、実のところどんな味なのかもわからないため、嫌いかどうかもわからないという人が相当数いるのである。

また、関西人にとってのお好み焼きは「おかず」である。そのため、もんじゃ焼きに「ガッツリしたおかず感」を求めると、物足りなく感じる。さらに「お好み焼きやたこ焼きもあるのに、わざわざ関東のわけのわからんモンを食べることはない」という意識もなくはない。

関西人は食に対して保守的であり、関東、特に東

京に対する反発心も強く、もんじゃ焼きはなかなか浸透しにくい土地柄なのだ。

しかし、そんな中でも、もんじゃ焼き店が少しずつ関西に出店している。シェアをするという新しさ、関西風に出汁をアレンジするなどの企業努力の甲斐あって、関西でもファンが増えてきている。もんじゃ焼きが関西でポピュラーになる日も遠くないかもしれない。

ソースをかけないたこ焼きと明石焼き。実はこっちが元祖だって?!

「大阪人は1家に1台たこ焼き器を持っている」という説がある。実際のところ、そこまで普及はしていないのだが、「1家に1台たこ焼き器があるなんて、大げさやよ～」という人の家には、十中八九、たこ焼き器があるという説もある。

今では関東発のたこ焼き店もあるのだが、その味わいは東西でやっぱり違う。まず関東のたこ焼きは、外側がカリッとして、中はやわらかい。一方、大阪製は外側がふわふわで、中もふわふわ、もしくはトロトロ。そのせいで、関東人が大阪のたこ焼きを食べるとやわらかさに驚くこともあるようだ。

そんなたこ焼きの食べ方は、今でこそ全国でほぼ統一されている。まずはソースか醤油をかけて、その上から削り節や青のり、時にはマヨネーズをかけて完成だ。中には「ポン酢」というアレンジもある。

大阪でもこの食べ方をする人がほとんどだが、実は最初のたこ焼きは、何もかけずに食べるものだった。

たこ焼きの元祖は、昭和初期の家庭で食べられていた「ちょぼ焼き」であるという。やがて、うどん粉の生地を焼いて作るこのおやつに、大阪の「会津屋」がこんにゃくや肉を入れて「ラヂオ焼き」として売り出した。しかし肉だと冷めるとおいしくないので、代わりにタコを入れたのがたこ焼きの始まりである。

ただ、当初のたこ焼きは何もかけずに食べるものだった。生地に醤油と出汁が入っているので、そのままでも味がついていたのである。ソースをかけるようになったのは戦後になってから。そうした歴史を大事にして、ほとんどの店がソースをかける今でも、何もかけない店は残っている。元祖たこ焼きの看板を掲げる「会津屋」もその一つである。

このようにして生まれたたこ焼きには、モデルになった料理がある。それが兵庫県明石市の「明石焼き」だ。タコを入れて焼いた丸形の生地を出汁に浸して食べる郷土料理で、会津屋はここからヒントを得て、タコを入れるようになったという。

なお、明石焼きは地元で「玉子焼き」と呼ばれていることでも有名だ。ただし、出汁に浸すようになったのは、熱さを冷ますため。それゆえ、もともと玉子焼きの出汁に味はほとんどなかった。「ならば水でもいいのではないか?」という意見もありそうだが、「お金をもらって水では客に悪い」というのが理由らしい。

縁起物の「年取り魚」。関東ではサケだが、関西では?

日本の各地には大晦日(おおみそか)に縁起物の魚を食べて、新しい年を迎える風習がある。このとき食卓に上る魚を「年取り魚(としとりざかな)」と呼ぶが、その種類は地域によって異なる。

まず関西ではブリが供されることが多いようだ。ブリは関西では「ツバス、ハマチ、メジロ」、関東では「ワカシ、イナダ、ワラサ」と成長に応じて名前が変わる出世魚。そのため、新年を迎えるのにふさわしい祝い魚として重宝された。

ブリの漁場は室町時代後期に日本海側を中心に広がり、やがて海運の発達によって上方(かみがた)にもたらされ、18世紀初頭には年取り魚としてブリを食べる習慣が定着したという。

一方、関東の年取り魚の主流はサケだ。関東以北ではサケが遡上(そじょう)する河川が多く、

「盛ん」「栄える」に通じることから縁起物として珍重された。生まれた川に大きく成長して帰ってくるサケは、その姿が〝出世〟を連想させることから、めでたい魚と認識されるようになったともいう。

数ある魚の中でも、この2種類が親しまれたのは、大型で見栄えが良いことに加え、塩蔵することで長期保存ができ、遠路輸送も可能だったためと考えられる。

なお、全国各地には1月20日を正月の祝い納めとする「二十日（はつか）正月」という習俗が残るが、この日は別名「骨正月」とも呼ばれる。ブリやサケもこのころには頭と骨しか残っておらず、それを汁物や煮物に仕立てて、最後のご馳走として食したことからその名が付いた。

またブリとサケを分ける東西の境目は、新潟県の糸魚川（いといがわ）から静岡県にかけて日本列島を縦断するフォッサ・マグナ（中央地溝帯）とほぼ一致する。その理由は定かではないが、境界線上にある長野県ではおおむね南西部がブリ、北東部がサケと分かれている。

近年はライフスタイルの多様化により、若い世代では年取り魚を食べない、または存在自体を知らない人も多い。それでも食卓に福を呼ぶ伝統的な風習は、各地で受け継がれている。

玉子サンドの中身は玉子サラダ？　それとも玉子焼き？

玉子サンドは、名前のとおりに玉子をパンに挟んで食べるサンドイッチの一種。大人から子どもまで人気だが、関東と関西で異なる部分がある。それは「どんな玉子を挟むか」だ。

まず、関東の玉子サンドは玉子サラダを使うことが多い。潰したゆで玉子に塩コショウしマヨネーズで和(あ)えて、耳を切った食パンでサンドする。コンビニなどの玉子サンドも、ほとんどがこの方法で作られている。海外の玉子サンドも、基本はこのタイプだという。

ところが関西では、玉子焼きを挟む。食べられるのは主に各家庭や喫茶店。ボリューミィな厚焼き玉子と食パンを一度に頬張るので、食べ応えはバツグンだ。最近では、テレビやネットのニュースサイトでもよく紹介されている。

ただ、必ず玉子焼きを使うというわけでもない。スクランブルエッグやオムレツにすることもあるし、パンも焼いたり焼かなかったりとさまざまだ。そんな自由なところも関西らしいといえる。

西の玉子サンドで玉子焼きを使うのは、海外文化と地元文化が融合した結果だとされる。明治維新によって外国人が大量に日本へやってくると、外来の文化を取り入れた喫茶店を開店する者が相次いだ。そこで提供されたのが玉子サンド。関西の出汁巻き玉子の文化と融合した結果、今の関西風玉子サンドが生まれたようだ。

もっとも現在は、関西の玉子サンドを見たことがない若者が大阪で増えているという。全国チェーンのコンビニが台頭した影響とされているが、東西両方の玉子サンドを売るサンドイッチの専門店もあるようだ。町で見かけたときは、食べ比べてみては？

おにぎりの海苔は、味がないのが関東風、味付きが関西風

おにぎりと聞いたら、どんな形を思い浮かべるだろうか。三角形のごはんに海苔を巻いた、コンビニでよく見かけるようなものを想像するかもしれない。そんな定番の握り方は、実は関東から発祥したものだ。

関東でも丸形や俵形といった握り方をすることもあるが、基本は三角形。この形がコンビニなどを通じて全国に広まり、今ではおにぎりの基本形と認識されている。

ところが、関西では俵形が主流。現在でこそ三角形の認知度もかなり上がっては

いるものの、家庭で作るおにぎりはまだ俵形が多いという。

その理由は箸で食べやすいからだ。江戸時代の大坂では芝居見物が流行っていて、客席で弁当を食べることも許可されていた。しかし三角形では弁当箱に入れにくいし、素手でつかむから手も汚れる。そのため弁当箱に入れやすく、箸で食べられる俵形が好まれたという。それに丸めるだけでいいので作るのにも苦労しない。関西人らしく合理性を追求したというわけだ。

ところが、稲荷寿司だと反対に関東は俵形、関西は三角形である。関東の稲荷寿司は稲荷神社に奉納する米俵を表現しており、関西だと狐の耳や稲荷山をイメージしているという。どちらも稲荷信仰と深く関係しているということだ。また関西だと、中にタケノコやささがきゴボウなどの具が入っているの

も特徴だ。

そして、東西のおにぎりには、さらなる違いがある。それは中に入る具。関東のコンビニではツナマヨやシャケが定番なのだが、関西では昆布が常に上位だ。江戸時代の大坂は「天下の台所」だったので、各地から新鮮な魚介類が集まっていた。江戸より昆布も江戸よりは手に入りやすく、昆布出汁が主流になったように、おにぎりの具も昆布が根付いたという。

最後に、おにぎりに巻く海苔も東西で異なる。関西では味付け海苔が定番だが、関東で人気なのは味のない焼き海苔のおにぎりだ。

関東は「辛さ」、関西は「香り」を重視する七味唐辛子

そばやうどん、鍋物に汁物、漬物などに幅広く使用される七味唐辛子。この日本独特の調味料が登場したのは1625年のことだ。

江戸の薬研堀（現在の中央区東日本橋）で辛子屋を営む中島徳右衛門が、唐辛子をはじめとする種々の薬味を混ぜて販売したのが始まりとされる。徳右衛門が生み出した新たな調味料は、当時庶民の食べ物として愛好されていたそばと見事にマッチ

し、大評判になった。

現在の七味唐辛子は「二辛五香」、つまり2種類の辛味性スパイスと5種類の芳香性スパイスによって調合されるのが一般的だ。定番は、唐辛子、山椒、麻の実、陳皮（ミカンの皮）、胡麻、芥子の実の6種類に、青海苔か青紫蘇のいずれかを加える組み合わせである。

ただ地域によってブレンド法は異なり、関東では〝辛味〟を、関西では〝香り〟を重視する傾向があるようだ。実際、関東の七味唐辛子は唐辛子の辛さが強く、ピリッとした風味が特徴で、関西では逆に唐辛子の辛味を抑え山椒の豊かな香りを中心にした配合になっている。

その違いの理由は、東西の出汁文化にあるとされる。関東の出汁はカツオ節を主体に濃口醤油を合わせて作られるため、色は黒っぽく味も濃厚。対する関西は昆布をベースに淡口醤油を足して作られるが、使用される醤油の量は関東よりも少ない。そのため関東に比べ色は薄くあっさりとした風味になる。

このことから、関東の七味唐辛子は濃い味付けに合うように辛味を強調し、関西のそれは薄味の出汁の風味に寄り添うよう香りに重きを置いたのだ。

ちなみに、七味唐辛子の専門店としては「日本三大七味」と呼ばれる3軒の老舗が有名だ。一つ目が前述の中島徳右衛門が創業した「やげん堀」、二つ目が京都市の「七味屋本舗」、そして長野県の「八幡屋礒五郎」だ。興味のある方は各店の風味を試すといいだろう。

関東人には馴染みがない、関西独特のメニューとは

関西の居酒屋メニューでは、時折「土手焼き」というものが見つかる。牛のスジ肉を、味噌を中心とした調味料と一緒に煮込んだもので、関東でいう「もつ煮」に近いが味は濃い。調理鍋に味噌を「土手状」に盛ることから土手焼きと呼ばれるようだ。決して「河原の土手の店」で作られたから、というわけではない。

飲み物にも関西特有のものがある。「冷やしあめ」と聞いたら、関西以外だと冷蔵庫で冷やしたキャンディと思うかもしれない。しかし実際は、水飴とショウガ汁を水に溶かしたジュースのこと。

清涼飲料水が普及する以前は夏場の定番として飲まれ、平成初期までは町中で冷やしあめを売る個人店も少なくなかった。今でも缶や瓶入りで販売されており、関西の名物となっている。

また、関東でジュースといえばオレンジジュースやリンゴジュースが思い浮かぶかもしれないが、関西では「ミックスジュース」。これはバナナとリンゴや缶詰のミカン、黄桃、パイナップルなどと牛乳・砂糖をミキサーにかけたものだ。関西の喫茶店では定番どころか、単に「ジュース」と注文すれば、ミックスジュースが出てきた時代もあった。現在では缶ジュースとしても、コンビニや自動販売機などで販売されている。

❹

関東人には謎すぎる「関西人の習性」

上京して長いのに、大阪弁が抜けないのはナゼですか？

ひととおり喋ったあとの「知らんけど」は無責任さの表れ？

大阪人が好んで使う「知らんけど」。いろいろと興味深い情報をダーッと話した最後にこの言葉を付けるので、かなり無責任っぽく聞こえる。関東などほかの地方の人の中には、露骨にムッとする人もいるという。

「知らないのに言わないで！」と怒りたくなるのもしかたがない。

しかし、なぜこの言葉が大阪で多用されるのか。さまざまな説があるが、基本的には、日常を面白おかしく話す大阪人の、サービス精神旺盛な気質が大きく影響しているようだ。

大阪人の会話は正確性を後回しにし、相手を楽しませることを重視する傾向が強い。ぺらぺらと話を進め、頭の中で想像しただけのことまで事実であるかのように話してしまう。この尾ひれを付けて話してしまったことを、「知らんけど」の一言で回収しているのである。

これを聞き慣れている大阪では、「知らないのに言わないで！」と怒るのではなく、「なんや、知らんのんかーい！」とツッコむのがお決まりだ。逆に「知らんけど」を最後に言わないと無責任な情報を放置することになり、危険なのである。

大阪は古くから他県や海外からの物流が盛んな土地で、多様性を重視する土地柄だった。そこで「自分の考えを言うけれど、他人にはまた別の考えがある」という意味で「知らんけど」をくっ付ける、という説もある。

それなら、最初に「知らんけど」を付けてから話せばいいのでは、という意見もあるだろう。しかし、それをしてしまうと、そもそも話を聞いてもらえない。ノリで会話が進む大阪では、「とりあえず勢いでどんどん話して、『知らんけど』でチャラにする」のは、ある意味理にかなったコミュニケーション術なのである。

関西人の「行けたら行く」を真に受けてはダメ！

「〇〇日に飲み会をやるんやな。ほな行けたら行くわ」

関西人を遊びや飲み会に誘ったとき、こう言われたことがあるだろう。都合がよければ来ると思うかもしれないが、当日、その人と会うのは諦めたほうがいい。その関西人は、90％以上の確率で来ない。

実際、朝日新聞が大阪と東京で調査したところ、大阪では「行きたくないときに使う」が、東京では「なんとか都合をつけて行くようにする」という意見が多数を占めたそうだ。

関西での「行けたら行く」は、行かないと同じ意味である。そのためこの返事をされたときは、相手に断られたと思って間違いない。「考えとくわ」も、「行かない」「しない」と同様の意味である。嫌ならはっきりと断る関東人からすると、曖昧（あいまい）でわかりにくい言い方かもしれない。

なぜ関西人はキッパリと拒否しないのかというと、それは人間関係を維持するためだ。確かに、嫌だ・行かないと真正面から拒絶できたら歯切れはいい。だが、言われた相手は嫌な気分になるし、なぜ来られないのかとしつこく聞かれることもある。時には軽い口論にもなるだろう。そうなったら、その人との関係もこじれるかもしれない。

商人の町として発展した大阪で、商売人が重んじ

てきたのが人とのつながりだ。市場の動き、儲け話や世間の流行など、おいしい話を逃さないためには、商業仲間と仲良くするのが肝心。そんなコネと人脈を保っため、曖昧な表現を好んできたと考えられる。

行けたら行くと言ったほうが、「本当は行きたいのだ」と相手に思わせられるし、相手も事情があって来られなかったのだと納得できる。事実上のお断りだったとしても、関係がこじれにくい。

「考えとくわ」も、よく考えたけれど行けなくなったと、断るまでにワンクッション置くことができる。どちらにしても相手の要望を真っ向から拒絶せず、一度は受け入れているのが特徴だ。そうすることで、拒絶しても角が立ちにくいというわけだ。そうした商人の知恵が一般人にも広まり、拒否する代わりに「行けたら行くわ」と言いはじめたという。

関西人は、標準語を話さないのではなく「話せない」！

関西アレルギーを持つ人は、「関西人は、いつでもどこでも関西弁を使い、標準語を話さない」のが許せないという。確かにテレビのインタビューを見ても、ほかの地方の人は標準語で答えているのに、関西人だけが方言を使う。若い人なら、なおさらだ。

ただ、これには誤解がある。関西人は標準語を「話さない」のではなく、「話せない」のだ。

東京にはさまざまな地方の人が全国から集まる。東京に来てから、隣県の関東地方に住まいを持つ人もいる。それぞれが、それぞれのお国言葉で話すわけにもいかず、関東では自然とみんなが標準語を話すようになる。

一方の関西は、「生まれてから死ぬまで関西で暮らす」という人が意外と多い。関西以西の九州・沖縄や四国といった地域から移り住む人もいるが、ほとんどは地元民だ。学生の街である京都でも、地方出身者は大学を卒業すると東京へ行くか、地元に戻ってしまう。

関西で暮らし続ける限り、関西弁以外を使う必要はない。全国で通用すると思っていた言葉が、実は関西弁だったというパターンも多い。普段の生活に必要がないのだから、標準語を覚えようとはしないのだ。

苦労するのは、関西人が関東へ行ったときだ。標準語のつもりで話していても、イントネーションが違う。「橋」と「箸」、「雨」と「飴」、「雲」と「蜘蛛」など、同じ単語でも発音は異なる。「関西訛りはバカにされるのでは?」と心配しすぎて、失語症になった人もいるという。標準語と関西弁の区別がつかないとの訴えすらあるのだ。

関西人がタクシーに乗りたがらないもっともな理由とは

関西の人が東京へ出かけたとき、東京の人がひんぱんにタクシーを利用するのに驚くことがある。しかも、ワンメーターほどの距離であるにもかかわらず、だ。

「それくらいの距離やったら、地下鉄のほうが安いし、早いんちゃうん?」

そう思ってしまう関西人は多い。

料金で比較すると、東京23区内の初乗り運賃は1052メートルまでで410円。一方、大阪なら1700メートルまでが680円、初乗りを1459メートルまでに短縮した場合は600円。ワンメーターで比べると、東京のほうが安くつく。

しかし、関西人がタクシーの利用を控えるのは料金のためだけではない。

関西、特に大阪のタクシーは1970年ごろまで評判が悪かった。また、渋滞や路上駐車の多さから約束の時間に遅れてしまうというのも、しょっちゅうだった。

そのために、タクシーは敬遠された。

また、関西人は地元民が多く、土地勘がある。しかも京都と大阪の道路は碁盤目なので道を間違う可能性は低い。神戸に至っては六甲山を探せば南北の区別が一目瞭然だ。

一方、東京は地方出身者が多いため、上京してきたころは目的の場所がどこにあるのか迷ってしまう。道も曲がりくねり、見上げただけで東西南北がわかる目印も少ない。そのため、どうしてもタクシーに頼ってしまう。

この経験が、タクシーに対する感覚の違いを生んだと考えられる。加えて、「こんなちょっとの距離にタクシーやなんて」というぜいたくを嫌う意識や、「こんなちょっとの距離やのに、運転手さんに悪いと思えへんか」という気遣いも、関西人がタクシーにあまり乗らない理由だろう。

「アホ」はOKだが「バカ」と言われるとムッとする?!

「バカ」と「アホ」は、どちらも罵り言葉であり、意味的に大きな違いはないが、関東と関西では、反応が全く違う。

関西人に「アホちゃうか」と言えば「せやねん〜、失敗したわ！」など笑い話になるが、「バカだなあ」と言うと本気でムッとされ、嫌な空気になる。対して関東人に「バカだねー」と言うと照れ笑いが返ってくるが、「アホちゃうか」と言えばこれまた本気でムッとされる。地域によって、捉え方は驚くほど違うので要注意だ。

語源を調べてみると、「バカ（馬鹿）」はサンスクリット語で「無知」などを表す「baka」にあるとされる。「愚かなことや人」「社会的な常識に欠けること」や「つまらないこと」、「度が過ぎること」など多くの意味を持つ。

一方、「アホ（阿呆）」の語源は、秦の始皇帝が建てた巨大な宮殿「安房宮」から取られたという説が有力だ。こちらも「愚かなことや人」を意味する。

ほぼ同じ意味なのに、関東と関西で反応が全く違うのは、単純に小さなころから聞き慣れているかどうかの差だろう。

関西は、吉本新喜劇や漫才で「アホちゃうか」というセリフは慣れっこ。もはや「愛ある定番のツッコミ」である。対して「バカ」は聞き慣れないうえに、「バ」と濁音が入った言葉を非常にきつく感じてしまう。これは、清音を大事にする文化（160頁）も影響している。

関東では、おふざけをすると母親に「バカなことしないの」と笑いながらとがめられ、恋人に愛を伝えれば照れ隠しに「バカ……」と顔を赤らめられる。こちらも愛あるツッコミだ。対して「アホ」という気の抜けた言葉は、見下されたようでプライドが傷つくのである。こちらも関東の濁音文化が影響している。

最近では「アホ」が関東でも浸透し、「バカ」「アホ」の温度差が昔ほどなくなってきたという。そのため、関西の男性が関東の女性に照れ隠しで「バカ……」とささやかれても嫌な気分になるどころか、ニヤけて顔を赤らめてしまう。

要は、シーンと相手、言い方の問題なので、関東の女子が無理をして「アホ」と言う必要はない。

意外や、関西人は人目を気にするって?

気さくな人が多いというイメージの強い関西人だが、意外なことに人目を気にする傾向にある。その大きな理由は、やはり土着の住民が多いということだ。

例えば「まさか、こんなところで知り合いには会えへんやろ」というような場所で、「おお!　こんなとこで何してんねん」と声をかけられることがある。声をかけられなくても、「この間、お前、○○歩いてたな」と、後日に指摘されることも比較的多い。

さらに、男性が女性を連れていたりすると「あのコは誰やねん？」とニヤニヤしながら詮索されることもある。恋人や仕事関係なら問題はないが、もしも大きな声で言えない相手なら、注意が必要だ。

これが東京であれば、なんといっても人口が多いので、偶然、知り合いに出会う確率は低い。出会ったとしても、余計なお節介をされることもない。

知人の多さというのも、関西人が人目を気にする理由の一つだ。

関西では町内会活動が盛んで、まだ隣組の存在する地域もある。近所づき合いも頻繁で、顔見知りは多い。それ自体はいいことでもあるのだが、そこはお節介な人の多い関西。「おう、○○くん、元気か！」といきなり声をかけてくるおじさんや、「お宅の○○ちゃん、派手な女のコ連れて歩いてたで」と、親

や兄弟に告げ口するおばちゃんもいる。

「なんやの、そのカッコ。もうちょっと小ぎれいにしいや」と、わざわざ注意をしてくる人もいる。

つまり、どこにいても常に誰かの目が光っている。人目を気にするな、というほうが無理というものだ。

関西人は偉そうな人を嫌う。ゆえに叱られる店には行かない

客を叱り飛ばすママのいる店が、東京ではウケるという。だが、関西で同じような態度で接客すれば、すぐに閉店に追い込まれるだろう。

地方出身者の多い東京では、人間関係が希薄だ。そのために、つき合いは多くても、親身になってくれる人は少ない傾向にある。したがって、ほめられることはあっても、叱られるのはまれだ。もちろん仕事上の叱責とは事情が異なる。

だから、叱ってくれる人のいる店に行く。自分のことを考え、思ってくれていると感じるからだ。

だが関西人は、そういった面でクールだ。そもそも、赤の他人に叱られて喜ぶ感

性を持ち合わせていない。それは、関西人の歴史的背景と、金銭感覚が影響しているとも考えられる。

大阪は商人の街だったので、さほど身分を意識してこなかった。客には慇懃にふるまうが、立場が変われば自分も客だ。そこに身分の上下はない。京都は公家の町だったが、貴族は武士ほど町を出歩かないし人数も少ない。身分の隔たりはあったとしても、さほど意識することはない。

つまり、関西人は上から押しつけられたり、偉そうにされたりするのが大嫌い。しかも、大切な金を払ってまで叱られるなど、考えもおよばないのだ。

同じ理由で、客に食べ方を注意するすし屋や、ラーメン屋の頑固店主も受け入れない。「なんやねん、あの偉そうな態度。二度と来るか！」「ラーメンくらい好きに喰わせ」で片づけられるのがオチなのだ。

交通違反で切符を切られるときはできるだけゴネるのが関西人

スピード違反で反則切符を切られそうになったとき、関東なら素直にサインをする人が多いようだ。「なんとかなりませんかねぇ」くらいは口にする人もいるだろうが、無駄だと思うとすんなりとあきらめる。

だが、関西人は違う。「なんとかなりまへんの？　ちょっと急いでただけですねん」と訴え、「ほんま、すいまへん。二度とせえへんから、今回ばかりは。ほんま、すいまへん」と平身低頭で謝り、そうかと思うと「なんやねん！　もっと悪いやつもおるやろが！　お前ヒマか！」と暴言まで吐き、最終的にはブツブツ不平を漏らしながらサインをしようとしつつ、「ホンマにアカンの？」と最終確認をする。

関西人も無駄な努力だということはわかっているが、一縷の望みをかけてしまう。それは「警察官であっても人の子」という思いで情に訴えれば、万が一もあるのではないかという考えからだ。

そもそも関西人は権力を嫌う。これも、かつては商人や町衆が、街を維持してきたという自負からくるものである。そのDNAが現在の人々にも受け継がれている。したがって、警察権力も反感の対象となる。「お上」に支配されてきた江戸とは違い、「お上？　なんやねん、それ」という意識が関西だ。

関西人の中でも京都の人の権力嫌いは、さらに奥が深い。歴史的に見て、京都人にとっての「お上」は天皇であり将軍ではない。将軍はあくまでも天皇から政治を委託された存在であるため、幕府に朝廷以上の権威はない。明治維新から150年以上経った現在でも、そんな意識はある。

そのため、本来は京都にあるべき政治の中心が、江戸から名前を変えただけの東京にあることが許せない。そんな政府の持つ国家権力に従う必要はない。それは警察権力も同じだ。

この「権力大っ嫌い！」という思いが、ほかの関西人にも影響を与える。ただし、和歌山県は別で、案外警察に対して従順だし、政治的にも保守色が強い。さすがは徳川御三家のお膝元ではある。

大阪人の会話には、なぜツッコミとオチが必要なのか

大阪は笑いが根付いた土地柄のため、日常会話でも、ギャグやノリツッコミ、そしてオチがあるのが当たり前である。ここまで笑いと会話術が磨かれた背景には、やはり商人の町であることが大きい。

商売は、営業トークと駆け引きによって利益が大きく変わる。気持ちよく売り買いをするため、笑いを間に挟み、話をしっかりと終わらせる。こういう取引の中から、コミュニケーション能力が自然と培われていったと考えられる。

楽しい会話の裏で、厳しい競争も生まれただろう。そんな緊張感あふれるやりとりの中、「笑い」はある意味、生きていくのに必要不可欠なものだったといえる。

ただ、こういったノリツッコミ、そして話にオチを求める関西人の気質は、他地域では面倒がられる傾向があるのも事実だ。関西人は常に芸人レベルのオチを持ってこないと怒る、と誤解されてしまっているふしもある。

だが実のところ、関西で「オチ」というのは、ギャグを言ったりボケたりすることではない。最終結論が欲しいだけなのである。

「○○して遊んだ」「どこそこに行ってきた」という状況報告だけではなく、「何が起きて」、「どんなふうに思ったか」までを求めるのが関西。それがない場合は「オチないんかーい！」というツッコミが来るだろう。

しかも、この「オチないんかーい！」は話を終わらせるための一言であり、相手を責めているわけではないのだ。

リズムよく、起承転結(きしょうてんけつ)をちゃんと話してほしい関西人。そのため、関西のイベントでは、タレントが趣味や仲良しトークをだらだらと話すだけのショーは、シラケて終わってしまいがち。「あの、トークショーとかいうの、結局オチなかったやん」の一言で済まされてしまうのでご注意を。

お笑い芸人を特別扱いしない もっともすぎる理由

今どきは、お笑い芸人がタレント化したり、文化人になったりもする。そのため関東では、お笑い芸人をほかの芸能人と同様に特別視する傾向が強い。

しかし関西での、特に40～50代以上の年齢層にとっては、お笑い芸人に対する感覚は、決して「有名芸能人」ではない。もちろん有名無名の差はあるが、芸人を俳優や歌手、タレントといった「芸能人」とは見なさない。

大阪は地元住民全員が、お笑いのセミプロのようなもの。日常会話でノリツッコミが必ず盛り込まれる。ウケるウケないは関係なく、自家製のギャグをブチ込む人も決して珍しくない。

そんな環境だから、お笑い芸人を見る目も自然と厳しくなる。お笑い番組も笑うだけではなく、「最近切れ味がイマイチ」「ツッコミが弱くなっていった」など、頼まれもしないのに分析を欠かさない。そして、スベッた芸人に対しては「ワシのほうがオモロイ」という、残酷な評価が下されるのだ。

お笑い芸人を特別視しない、というより「少々のお笑いならできて当たり前」。へタをすれば「ライバル視」すらされる。そのため、関東でよくある、小さなライブハウスで行う手作り感覚のお笑いライブやイベントも、関西では意外に少ない。そもそも開催してもあまり客が集まらない。

名も知らぬ、(もしかしたら自分のほうが面白いかもしれない程度の)お笑い芸人をチェックするため、わざわざ入場料を払うことはもったいないと感じるのだ。

つまり、お笑い芸人は「自分たちより人を笑わせるのが上手な人」でしかなく、近所や学校にいる「おもろいやつ」がプロになったにすぎない。いわば、友人知人感覚だし、町で会っても気やすく声をかける。ただしプロである以上、笑いの「テクニック」を重視する。「大した芸もないのにタレント気取り」が一番嫌われるのだ。

ただ、東京進出に失敗し、大阪へ戻ってきたときの対応は優しい。「大阪でまた芸磨いたらええわな」と受け入れる。そこは「東京に出て行った知り合いが、水に馴染めないで戻ってきた」という意識が働くのだろう。

関西人が行列を嫌うのは「とにかく無駄」だから

東京の人気店の前に行列ができているのは、ニュースなどで見慣れた風景だ。行列の長さで店の人気や味の評判を図るという人も多いし、また「基本的にどこでも混むので、諦めや慣れがある」という意見もある。

一方の関西人はせっかちで「イラチ」な気質を持つ。イラチとは性急で落ち着きのない性格のことをいう。そんな関西人にとって「時は金なり」。できるだけ早く、目的地や目的のモノにありつきたい。行列に並ぶなど一番時間の無駄で、避けたい行動なのである。

東京人にとっては「たった10分並んだだけで入れた。ラッキーだったね！」という感覚でも、すぐに食べたい大阪人にとってはウンザリするほど無駄な時間だったりする。1杯のラーメンのため、数時間行列に並ぶなど信じがたい行為なのだ。

大阪人が東京在住の友人に話題のお店に連れて行ってもらったはいいが、行列に並ばされ、キレてケ

ンカした……という悲劇も起こるという。

ただ、関西人の「待つのが嫌い」な性格が、新たな「時短サービス＆アイテム」を生み出しているのも事実だ。３分間待てばおいしいラーメンができる「インスタントラーメン」も、発祥は大阪に本社を持つ日清食品。日本で初めて「歩く歩道」が設置されたのも阪急梅田駅である。

さらに、ユニバーサル・スタジオ・ジャパン（大阪市）の有料ファストパス「エクスプレスパス」は、人気アトラクションの待ち時間をお金を出せば短縮できるというもの。いかにも行列に並びたくない、関西人に合ったサービスといえる。

「ケチやなあ」と言われてもダメージを受けないのは？

関東で「お前はケチだ！」と言えば、罵(ののし)りの言葉に近い。だが、関西で「お前、ケチやなぁ」と言っても、言われた側は、さほどダメージを受けない。

江戸の影響が強い関東では、江戸っ子の「宵越(よいご)しの金は持たない」という感覚が残されている。つまり、お金を出し惜しみするのは粋(いき)じゃない。そのため「ケチ」と言われてしまうと、人格までも否定された気になってしまう。

かたや大阪の金銭感覚が強い関西では、お金の「使い方」を重んじる。後先を考えずに使うのは愚の骨頂とされ、江戸っ子の感覚は受け入れられない。「あんなもんに高いゼニ出して、アホとちゃうか」と思ってしまう。

では、関西人が大事とする金の使い方とは？　それは「自分にとって得にならないものには、びた一文払わない」という姿勢だ。いわば投資である。金額以上のリターンやメリットが見込めないものには使わない。これを「生きた金の使い方」という。

関西人には「金は生き物」という認識がある。つまり、「ケチ」は生き物であるお金を大切に育てることにつながる言葉なのだ。

ただ、必要なときでも使わない人もいるし、貯め込むばかりの人もいる。それはケチとは言わず「しぶちん」と言い、これを言われると、さすがの関西人も頭にくるし、反省しようという気にもなる。

なぜ、関西女性のファッションはカラフルかつ濃いのか？

関東人はナチュラルを好み、関西人は派手好き。東西の気質を比べるときによくいわれるが、これは女性のファッションにも表れている。

まず、関東の女性はシンプルで控えめな色合いの服装を好む。メイクもナチュラル系が基本で、肌の透明感を重んじる傾向が強いという。これは全身を派手に飾り立てる、もしくは目立つ色合いのものを着ると逆にダサいと感じるからだという。決して気取らず、さりげないこだわりを楽しむのが関東流なのだ。

ところが、関西の女性のオシャレはカラフルで個性的だ。ブランドものもしっかりファッションに組み込む。メイクもアイライナーや口紅で濃いめに決めて、自分のセンスを自己主張していくのが個性的でカッコいいのだという。「大阪のおばちゃん」が、ヒョウ柄やギラギラした色合いの服を好むのもそのためらしい。まさに関東と関西で、美意識は正反対なのである。

なぜこうもファッションの傾向が分かれたのかはわかっていないが、一説には江戸時代に原因があるそうだ。

江戸時代に町人文化は盛んになったが、幕府から幾度も贅沢（ぜいたく）禁止令が出されるという、オシャレをするには不向きな時代だった。そこで、江戸の女性は薄化粧でさりげなく、素肌の美しさを磨くのが粋だと考えた。主に白粉（おしろい）をはたいたあと、濡れた手ぬぐいで軽く拭（ふ）き取るのが江戸メイクだったのである。

これに対して、当時の関西女性が好んだのは厚化粧だ。大坂では江戸ほど贅沢禁止が徹底されておらず、女性が派手な化粧をしやすかった。したがって関西の女性は肌が白くなるほど白粉を塗り込み、服装も江戸より派手だったという。

明治に入ると神戸の外国人から洋装が広まり、カラフルな服装がより好まれるようになった。このような歴史的な背景から、関東はさりげなく、関西はド派手にという美意識の違いが生まれたとされている。ただ、現代では東京ファッション店の進出で、大阪と東京の美意識の違いは薄まりつつあるともいわれている。

マザコン上等！大阪人が「オカンネタ」を好むわけ

「大阪のオバチャン」といえば、ヒョウ柄、誰にでも話しかける、飴(あめ)ちゃんをくれるなど、日本一キャラが立っている存在といえる。もちろん現実にはそんな人ばかりではないが、イメージが定着している分、ネタにしやすいのは事実だ。

さらに、言いたいことはズバズバ言い、芸人顔負けのギャグも一つや二つ速攻で放り込み、失敗も笑い話にする機転と大らかさがある。ブランドものが好きで金銭面もあけっぴろげにし、気取りはないが見栄は張る。

真面目で教育熱心、競争心が強いという首都圏の母親のパブリックイメージに比べ、ざっくばらんなのもネタ化する理由の一つだろう。

また、大阪ではオトン、つまり父親の影が薄い。家の大黒柱として子どもを育て、エネルギッシュに切り盛りするのは「オカン」。オトンは尻にしかれてナンボというイメージすらあるのだ。

そのせいか、大阪府民の男性の多くが「オカン大好き」である。実際、２０１７年に放送されたバラエティ番組『秘密のケンミンＳＨＯＷ』(日本テレビ系）では、「あなたはお母さんが好きですか?」というインタビューに対して、ほとんどの男性が声を大にして「オカン大好き！」と答えたのである。さらには、大阪の男性は友達同士で集まっても、「オカントークを平気でする」ということも話題となった。

一方、関東では「母親が好き＝マザコン」と思わ

れる傾向がある。そのため、母親の話を頻繁にする人は少ないという。

そんな傾向が生まれた理由として、やはり武家社会の東京と商人の町・大阪の差が影響している。武士の家は子どもを侍として恥ずかしくないように、厳格に育てる。教育やしつけを担うのは父親だ。かたや大阪の商家の女将さん（ごりょんはん）は、使用人の面倒や家事を担当。育児は女中が担うも、教育はごりょんはんの役目だ。母親の影響力は強い。

そのような理由から、関西人は「オカン」が好きで、愛情の裏返しとしてネタにするのだ。関西のオカンには、ネタにできる言動が多いのも確かだが。

意外や、大阪人は人見知りが強いってホント？

誰とでもすぐに親しくなれるというイメージのある大阪人だが、意外なことに人見知りが強い。「え？　大阪のオバチャンは、誰にでも話しかけるじゃない」という声も聞こえてきそうだが、あれはオバチャンならではの特性であって、男性や若い人は、そうでもない。オバチャンであっても、話しかけたからといって急に距離を縮められると、「何よ、この子」という感じで警戒されてしまう。

逆に関東の人はとっつきにくい印象があるが、親しくなるのは簡単で、案外長続きもするし、食事や飲みに行く機会も多い。これは、「人間関係は広いほうが有利」という考えの表れだろう。

一方の大阪は、人間関係に「量よりも質」を求めたがる。表現を変えれば「広く浅くよりも狭く深く」だ。そのため、仕事で知り合った人でもビジネス以外の相談に乗るし、古くからのつき合いなら自分を犠牲にしてでも親身になる。

この違いが、大阪人の人見知りを促(うなが)す。つまり、初対面の相手に警戒するし、自分をひけらかすことも避けるのだ。東京の人が社交辞令で言う、「今度、飯でも一緒に」というフレーズもあまり使われない。中途半端な関係で食事や飲酒をともにすることはないが、心を許せばよほどのことがない限り絶縁することもないのである。

しかも、大阪人は親しくなった人を、ほかの知人と引き合わせたがる。信頼できるグループをつくり、安心したいという気持ちの表れだ。恋人ができたときも、大阪人は友人に紹介する傾向が強いようだ。

もともと大阪人はテリトリーの意識が強い。かつて、摂津(せっつ)、河内(かわち)、和泉(いずみ)という三つの国に分かれていたことも原因だろうが、関東人が思う以上に「地元」と「地元以外」をしっかり分けて差をつけたがる。この感情から「ほかの地域の人を警戒する」という感覚が生まれたのかもしれない。

だが、そのほかの関西地域はさほどでもない。これはやはり、観光資源の差だろう。京都、奈良、和歌山といった地域は、昔から観光に依存している業種が多い。多くの人をもてなさなければ生活は成り立たないため、他人への警戒心は弱いのだ。

京都の人は、いまだに東京を首都だと思っていない！

京都の人が「他県とは別格」と誇りを持っていることは、もはや常識。特に現代の首都・東京へのライバル意識は凄まじい。いや「ライバル」という表現すら怒られるかもしれない。

そもそも京都は、794年に平安京が開かれてから約1100年間にわたって日本の「都」だった。江戸時代になって幕府の置かれた江戸が日本の中心となるが、天皇がおわす限り、京都は都であり続けた。

このプライドは凄まじく、さまざまなアンケートでも、「1869年から首都になった東京など歴史が浅い」とバッサリ。経済的に発展しているのは認めながらも、「ごみごみしていて景観がよくない」「田舎者の集まり」と辛辣なものも多い。

なかには「今でも天皇は東京へ行幸中なだけで、今も真の都は京都」という説もまことしやかに流れているほどだ。

その理由は「東京奠都」にある。江戸幕府が倒れたのち、明治新政府は新体制になったことを明らかにするために「遷都」が必要だと考えた。大久保利通などは幕府のあった江戸を避け、経済が発展していた大坂を首都にしようとしていたが、結局、江戸への遷都が決まる。

ここで問題になるのは、京都市民や公家への対応だ。市民はともかく、長年にわたって天皇を支えてきた公家の反発は避けたい。そこで江戸を〝東の京〟の東京と改称する詔書が出された。「京」と「都」はほぼ同義で「天皇が住む土地」という意味がある。

東であっても「京は京」だから、天皇が住んでも問題はない。京都の人も「天皇は東にある、もう一つの都に住まいを構えた」という認識で、永住するとは考えもしなかった。明治政府の考えた姑息な方法といえなくもない。

この引っ越しについて、都を〝移す〟「遷都」ではなく「東京奠都」と表現した。「奠都」とは、都を〝定める〟という意味。京都市民の心情に配慮しての言葉のチョイスだったのだろう。だが、これが「京都から東京に〝移って〟いないということは、首都は京都のままということ」と深読みされる原因になった。

いまだに「天皇はんは、いつになったら京都へ戻らはるんやろ」と言う人もいるという京都。都人としてのプライドは簡単に譲れないようだ。

意外に新し物好きの「京都人」、保守的な「神戸っ子」

古い伝統を誇る関西は、関東よりも変化を嫌うというイメージがある。特に京都は「古き良き都の姿」を第一とし、新しいものを排除するという意識が強そうだ。

だが、意外にも京都人は新し物好きで、「日本初」というものも多い。もちろん、平安時代など遠い昔のことではなく、明治時代以降の出来事だ。諸説あるが、日本で初めて映画が上映されたのは京都だし、国の学校制度ができる前に住民たちの出資で小学校がつくられている。発電所の建設も京都が最初で、その電力を使って初めて電車を走らせている。

では、なぜ京都には日本初が多いのか？　理由は天皇が東京に行ってしまったことにある。

東京に皇居を移したことで、天皇を支えてきた公家や御所（ごしょ）に出入りしていた商人も移住したため、京都の人口は激減。しかも長州藩が御所を襲撃した「禁門の変」や、新政府軍と幕府軍が戦った「鳥羽伏見の戦い」の傷も癒えていなかった。

そこで京都の政治家や実業家は、次々に新しい技術や制度を取り入れ、復興に役立てようとする。その心意気が受け継がれ、京都人は今も新しい物を取り入れることに抵抗感が少ない。

一方、京都、大阪、神戸という「関西三都」の中で、保守的といわれるのが神戸だ。神戸は横浜と並ぶ港町で、海外からの文化に慣れ親しんできた土地でもある。そのために、明治〜昭和初期にかけては、京都と同じく新し物好きだった。

だが、戦争が終わり、空襲の焼け跡から復興すると、いつの間にか神戸には「オシャレ」というイメージが確立する。しかも、大正〜昭和時代にかけて阪神間は富裕層の町となり、それが定着する。お金持ちは苦労して築き上げた地位を手放したくないため、基本的には保守的である。そこに、せっかくのブランドを維持しようという気持ちが働いたというわけだ。

大阪は新し物好きでもあるし、保守的でもある。先進的なものを受け入れる気持ちもあるし、歴史的なものを大切にしたいという気持ちもある。それは、京都ほど歴史遺産がなく、神戸ほど新しいものがないからなのだろう。

⑤

そもそも「伝統・文化」がこんなに違う

日本人に多い名字ていうたら「田中」とちゃうの？

雛人形を置く位置

お雛様とお内裏様の位置、なぜ東西で真逆なのか？

3月3日の祭りで飾られる雛(ひな)人形だが、関東と関西で若干の違いがある。まず、関東の雛人形は「関東雛」と呼ばれ、卵形の顔立ちとはっきりした目鼻立ちが特徴だ。一方の関西は「京雛」。平安貴族を思わせる切れ長の目と、うりざね顔をした伝統的な人形である。

先進性を好む関東では現代的な人形が主流となり、京文化の根付いた関西では昔ながらの伝統的なスタイルが好まれるといわれている。

そんな東西の違いは、雛人形の顔だけではない。雛壇に人形を飾るとき、男雛(おびな)と女雛(めびな)をどの位置に置くだろうか？　「男雛を向かって左、女雛は右」と答えるのは関東人。これに対して関西人はこう答える。

「お内裏(だいり)様が右で、お雛様が左やろ」

関西でも関東と同じ置き位置の家庭もあるのだが、大半の家では男雛・女雛の飾る位置が逆なのである。

実は、江戸時代までの雛人形は関西式で飾られていた。当時の朝廷では天皇が向かって右、皇后が左に座る慣習があり、貴族をかたどった雛人形も、それにならったというわけだ。この座り方の根本には、左側を上位とする「左上右下」という考え方がある。右大臣と左大臣では左大臣のほうが上位というのも、この考え方による。

「ならば、天皇（男雛）が右にいないといけないのでは？」と疑問に思うかもしれないが、天皇本人から見ると左になるので問題はない。

しかし明治時代に入ると、西洋の「右側が上位」とする風習が日本にも取り入れられていった。それは皇室にまで広まり、大正天皇の即位で天皇が向かって左、皇后が右に座ったことで急激に全国へと浸透。関東一円では、雛人形まで新しいスタイルで飾られるようになったのだ。

だが、関西ではこの新しい飾り方は受け入れられなかった。古来の伝統を重んじただけでなく、関西

人にとって天皇の住まいは京都なので、「仮住まい」の東京で流行ったスタイルは嫌われたのだという。そうした事情から、関東と関西で男雛と女雛の置き場所は正反対になったのだ。

味噌汁を置く位置——関西では「汁物は右手前」ではないって?!

和食の基本は「一汁三菜」。つまりはごはんに汁物、あとは主菜、副菜、副々菜の5品で構成されているのが普通だ。その配膳の仕方もしっかり決まっている。

まず、ごはんの茶碗は左手前、汁物は右手前。次に副菜を左の奥、副々菜は中央、主菜は右の奥に置くのが基本である。茶碗を左に置くのは箸を右手で持つ人が多いからというほかに、日本では左が右より格上とされていたので、米を一番偉い場所に置いたとの説もある。いずれにせよ、こうした置き方が関東では普通である。

しかし、この置き方が関西では異なっているのをご存じだろうか。関東では汁物を右手前に置くが、大阪では左奥。つまりは副菜の位置に置く。空いた右手前には主菜の皿が入るのだ。東と西では料理の味付けや呼び名がよく異なっているのだが、配膳方法まで違うのだ。

なぜ汁物の置く位置が違うのかは諸説あるが、「食べやすさの追求」だとする説が有力だ。汁物が右にあると主菜を食べにくく、箸を持つ手がお椀に当たるかもしれない。左手で右側の食器を取るのも少し面倒だ。それなら汁物も左側に置いて、主菜を手前にしたほうがずっと食べやすい。そんな合理性から配膳位置を決めたというのである。

もしくは、大阪などでは主菜を目立たせる傾向があるので、一番目立つ右手前に置くようになり、その代わりに汁物を余ったスペースに置いたという説も根強い。合理性や派手さを重んじる商人の町らしい説だ。

全国規模のチェーン店では関東式の配膳が普通だが、関西では地元式に入れ替えて食べる客もいる。ご飯は左、汁物は右という配膳方法は確かに基本だが、地域によっては違うマナーがあることも覚えておいたほうがいいだろう。

帯を巻く方向——時計回りか、反時計回りか

着物を日常的に着る人はかなり少なくなっているが、成人式や祝い事に着物姿で参加する女性は今も見られる。では、そんなときに着物の帯はどのように巻くだろ

うか？　まず関東人は「反時計回り」に巻くと答えるはずだ。しかし、関西人は「時計回り」と答えるだろう。

実際、歌舞伎の世界では会場によって帯の巻き方を変えており、反時計回りは「関東巻き」、時計回りは「上方巻き」という呼び名も付いている。伝統的な芸能界隈では、東西での巻き方の違いは半ば常識として浸透しているようだ。

ただ、なぜ巻く方向が違うのかは、はっきりとわかっていない。有力な説によれば、江戸が武家社会だったせいだという。

武士は刀を体の左側に差すのだが、時計回りに巻くと帯の結び目までが体の左に来てしまう。そうなると、刀の邪魔になるので反時計回りにした。一方の関西では、商人や公家の付き人が巻きやすいので、時計回りが定着したという。

別の説では、流行と対抗心ともいわれている。江戸中期には、歌舞伎ブームの影響で太い帯が流行ったことがあった。だが帯が太くなると巻くのに力がいる。そこで力を入れやすい右から左巻きをする人が増えていき、江戸とその周辺に定着した。

もしくは、当初の帯は全国共通で時計回りで巻かれていたが、日本の中心が京から江戸に移ると、都への対抗意識を持つ関東人が出はじめた。江戸こそが中心であるという自負のもと、わざと間違った巻き方をすることで、反発を示す江戸っ子も現れた。そうした風潮が関東一円へと広まって、関東巻きが生まれたという。どの説が正しいかは今も不明だが、江戸時代に巻き方が分かれた可能性は極めて高いらしい。

日本舞踊 ―― 西と東では、踊り方も呼び名も違う！

日本の伝統芸能の一つである「日本舞踊」。主な流派は5家だが、細かなものを加えると200を超え、統一された様式もないのが日本舞踊の特徴の一つである。そんな日本舞踊も、関東と関西では主流となる踊り方と呼び名が異なっている。

例えば、関東では日本舞踊を「踊り」という。関東の日本舞踊は歌舞伎に強い影響を受け、幕末直前には歌舞伎舞踊という演目も生まれている。その名のとおり、歌舞伎から踊りの要素を独立させた娯楽性の強い舞踊である。

1人でさまざまな役割を演じる「変化（へんげ）」など、歌舞伎役者が派手に踊る「動きの美」に江戸庶民は夢中になり、自分も習おうとする一般人や振付師も多数現れた。そうした躍動感あふれる動きがブームになった歴史から、関東では「日本舞踊といえば踊り」となったという。

だが関西では、あまり流行らなかった。動きではなく伝統と「静の美」を重んじたからだ。一説には、日本舞踊の起源は朝廷内の儀式だという。神話の「天岩戸（あまのいわと）伝説」を参考に、貴族たちが儀式の式楽（しきがく）（芸能）として舞楽（ぶがく）を行った。ここから能や狂言に発展していき、武家社会が到来すると上級武士の娯楽（ごらく）として保護された。

江戸で派手な踊りが流行する一方、京の都で親しまれたのは料亭や貴族・豪商の邸宅での「舞（まい）」である。そこで踊られたのは、昔ながらの「静の美」を重んじる、静かで優雅な舞踊だった。

こうした優雅さを重んじる舞い方は、京の都から大坂や畿内各地に進出。関西の日本舞踊は「舞」が主流になった。このほかにも、神事としての御神楽（みかぐら）文化が色濃く残っていたので、舞が主流になったという説もある。

日本舞踊は長い歴史の中で、日本各地の文化や流行りを吸収しつつ発展してきた。東西の舞踊の違いも、江戸と京の文化に強く影響されて生まれていたのである。

神輿と山車

関東は「神輿」、関西は「山車」が一般的だが…

関東の祭りで多い出し物といえば「神輿（みこし）」だ。それに対して、関西で多く見かけるのは「山車（だし）」である。有名なのは京都・祇園（ぎおん）祭の「山鉾（やまほこ）」、滋賀県長浜市や大津市などの「曳山（ひきやま）」、大阪府岸和田市の「だんじり」だろう。ただし、関東でも「秩父（ちちぶ）の夜祭（よまつり）」のように山車が引き出されるところもあるし、関西には姫路市の「灘（なだ）のけんか祭」などで出される担（かつ）ぐタイプの「屋台」が繰り出されるところもある。

とはいえ広範囲で見れば、神輿と山車に分かれている東西の祭り事情。しかし神輿の起源を辿（たど）ると、関西が発祥なのである。

神輿の起源は奈良時代、聖武（しょうむ）天皇が東大寺を建立したときに宇佐八幡（うさはちまん）神を天皇の「鳳輦（ほうれん）（乗り物）」で移したことにあるという。この伝承から、平安時代では鳳輦を真似た神輿を造って厄（やく）払（ばら）いの祭礼が行われるようになった。

さらに平安時代末期には、比叡山の僧兵が神輿を担いで、朝廷に無理難題を押しつけた。これを「強訴」といい、当時の最高権力者・後白河法皇が意のままにならないものとして「賀茂河の水、双六の賽、山法師（僧兵）」を挙げたことはよく知られている。そのため、比叡山延暦寺の守護神である日吉大社（滋賀県大津市）で行われる「山王祭」が、神輿の祭りの最初だとする説もある。

また祇園祭でも、本来は八坂神社から担ぎ出される神輿の渡御（お出かけになること）が重要なのであって、山鉾巡行は数ある行事の一つにすぎない、とする考え方もある。

この関西発祥の神輿が関東にも伝わっていくのだが、「神輿深川、山車神田、だだっ広いが山王様」と謳われたように、神田祭は山車がメインで、日枝神社の山王祭でも最盛期は神輿3基に対して山車60台と山車のほうが多かった。

しかし、明治時代になると市電の架線や電柱の施設により、巨大な山車の巡行は困難になる。また、大正時代の関東大震災と太平洋戦争の空襲で、関東の山車は大部分が焼失してしまう。自動車の普及によって、道路の通行止めも難しくなる。そこで高さがなく、1基当たりの運行スペースも狭い神輿が主流となった。

さらには、神輿はあくまでも神様の乗り物であるという意識が根強く、祭りの

「出し物」という感覚は薄い。そのため地域によっては、神輿が静かに渡御し、そのあとを山車が続くというところもある。

紫色——ひと口に「紫」といっても、東と西では色合いが異なる

「紫」は、日本では古代から尊い色とされてきた特別な色だ。

聖徳太子が制定した色で身分階級を管理する冠位十二階でも、「紫、青、赤、黄色、白、黒」の中で、最高位の色と定められた。平安時代でも、高貴な者だけが着用を許される「禁色」とされてきた。そのため長い歴史の中で、微妙に色合いの違う多くの紫色が生まれ、それが今も伝わっている。

江戸時代まで都のあった京で染められた紫は「京紫」と呼ばれている。雅を感じる錆びた赤みが特徴だ。これが、古代からの伝統的な染め方「紫根染め」を受け継ぐ正当な紫とされている。

対して、江戸で染められた紫が「江戸紫」。こちらは冴えた青みがかっているのが特徴だ。長い戦国時代が終わって幕府が置かれ、新興都市となった江戸だが、当時はまだ名物と呼べるものが少なく、その中で武蔵野に自生する紫（ムラサキ科の多年

草）の根による染色は自慢だった。そのさっぱりした色合いが京紫よりも江戸っ子の気風にマッチし、流行したのである。歌舞伎の『助六由縁江戸桜』で助六が頭に巻いている鉢巻の色は、代表的な「江戸紫」の例である。

この歴史から、京紫が「古代紫」、江戸紫が「今紫」とも呼ばれている。

同じ紫でも、力強さと活気を感じる江戸紫と優雅さを感じる京紫では、着用したときのイメージが全く違う。二つの都市の個性が、「紫」という色の発色にそのまま現れているのだから、色の表現力は凄いものである。

ちなみに、「江戸紫に京紅」という言葉がある。これは、紫染めは江戸が一番、紅染は京が一番という対比からきているもの。時代は変われど、東西の職人のプライドと高い意識を感じる。

文化住宅 ―― 関東ではモダンでおしゃれな家を指すが、関西では違うって？

「文化住宅」と聞いて、モダンでおしゃれな家を思い浮かべる人、もしくは「何それ？」と首をかしげる人は、おそらく関東人だろう。関西人であれば、長屋かアパートを思い浮かべるに違いない。

文化住宅という言葉は、1922年に開催された「平和記念東京博覧会」の住宅展示場「文化村」に由来する。建築学会が小規模改良住宅を募集した「文化村」では、住宅専門会社や建築請負業者、文部省の後押しを受ける「生活改善同盟会」などが応募し、そのほとんどが洋風建築で占められた。

この「文化村で展示された住宅」が文化住宅と呼ばれるようになる。アニメ映画『となりのトトロ』に登場する、サツキとメイの家をイメージするとわかりやすい。対して関西における文化住宅は、1960～70年代に登場する。ただし、こちらは木造2階建て、棟割りの賃貸アパートか1階もしくは2階建ての木造長屋で、「オシャレ」や「モダン」とは縁遠い物件だ。起源については不明だが、民間の不動産業者が宣伝のため使った言葉という説もある。

高度経済成長期時代、関西にも地方から多くの人が移住してきた。そんな人たちのために大量に供給されたのが、この文化住宅だった。

それまでのアパート・長屋が、風呂なし、トイレ・台所共同という間取りが多かったのに対し、文化住宅にはそれらが設置されている。そんな「新しいタイプの集合住宅」であったこと、また戦後しばらく「文化」という言葉も流行したこともあって「文化」という名が冠されたとも考えられる。

関東ではあまりお目にかかれなくなった文化住宅だが、関西ではまだまだ現役だ。特に都市部周辺に多く、割安なわりに広い物件として、独身者や新居が決まるまでの新婚夫婦が借りることも多いという。

パンダがいる動物園——関東は上野動物園。では関西は？

日本でジャイアントパンダを飼育している動物園といえば、全国的には東京の「上野動物園」の名が挙がる。だが、関西は違う。

現在日本でパンダが飼育されているのは、上野動物園に加えて神戸の「王子動物園」、そして和歌山県の「南紀白浜アドベンチャーワールド」だ。これらのうち、上野動物園には3頭、王子動物園には1頭だが、アドベンチャーワールドでは7頭も飼育されている。

このうち「永明（えいめい）」を除く6頭がアドベンチャーワールド生まれ。これまでに園内で生まれたパンダの総数は17頭で、これは中国に次ぐ世界第2位であり、双子の育成にも成功している。

さらに驚きなのは永明の存在だ。永明が中国から来日したのは1994年で年齢が2歳のとき。7年後には初めて父親となり、その後、15頭の繁殖に成功。2014年には「現在の飼育下で自然交配し、繁殖した世界最高齢のジャイアントパンダ」と認められ、20年にも永明が父親の楓浜が誕生している。

このとき、永明は28歳。人間でいえば80代に相当し、まだまだ血気盛んな様子だという。あやかりたいという男性も多いに違いない。

多い名字
関東では「鈴木」「佐藤」なのに関西では「田中」だって?

日本全国に約30万種もあるといわれる名字。全国で最も多いのは「佐藤」で、2位「鈴木」、3位「高橋」、4位「田中」、5位「伊藤」と続く。だが、関東と関西では、多い名字は異なる。

全国第1位の「佐藤」は関西ではあまり多くなく、東北に偏る。佐藤姓のルーツを辿ると、第38代天智天皇の重臣・藤原鎌足の流れを汲む藤原氏の子孫だ。藤原氏の傍系一族が下野国(現栃木県)佐野庄の領主で、地名の「佐」と藤原の「藤」をくっ付けて「佐藤」を名乗った。そして、東北地方へと勢力を伸ばしたのである。

全国第2位の「鈴木」は、紀伊国(現和歌山県)から発祥したとされる。和歌山県新宮市で神主だった保積氏の一族が、穂積の中心に立てる1本の棒「すすき」を名乗り、これが「鈴木」に発展した。

しかし、鈴木姓は関西ではなく、関東に偏っている。これは、鈴木姓の一族から、源平合戦で源義経の家臣となった鈴木三郎重家の末裔が、関東・東海地方にかけて広まったことが原因だとされる。

では、西日本で一番多い名字は何か？　というと、答えは全国第4位の「田中」である。福井県・滋賀県・京都府・大阪府・兵庫県・鳥取県・島根県・福岡県・熊本県と、九つの地域で1位を誇る。

そもそも田中とは、一般的に「中央にある田地」という意味だ。関西のこれらの土地は、気候が比較的温暖なことから稲作が盛んだった。そこで田中姓が広まったといわれている。

つまり、関東では貴族や武士の流れを汲む名字、

関西では農民の流れを汲む名字が多いといえるだろう。

ちなみに、地域の偏りがあまりないのが、全国第3位の高橋姓。「高橋」は「高台の端」や「高い橋」という地名を意味し、全国各地に多く点在している。そこに住みついた家が「高橋」と名乗ったので、まんべんなく広まったとされている。

高級住宅地――関東では田園調布。では関西では？

東京の高級住宅街といえば、大田区の西端に位置する田園調布が有名だ。1918年に渋沢栄一らが立ち上げた田園都市株式会社が主となって開発され、23年から分譲がスタート。田園都市株式会社の目的は「理想的な住宅地『田園都市』の開発」だった。

開発当初は中流層向けの住宅地だったが、街路樹を植え、広場と公園を整備し、街全体を庭園のようにするなどの工夫もあって評価が高まり、次第に富裕層が居住するようになった。現在も田園調布駅西側に広がる一帯は、高級住宅街としての趣(おもむき)を備え、地元自治会では住宅の新改築に際して厳しい制限を求めている。

関西にも高級住宅街と呼ばれる土地はいくつかあるが、その筆頭といえば芦屋市(あしやし)

の六麓荘町だ。阪神間の市街地と六甲山地の南東麓斜面に位置し、最寄り駅から歩いて30分前後とアクセスは不便だが、この街の住人はめったに電車は利用しない。

開発が始まったのは1928年、大阪の財界人によって国有林の払い下げを受け、197区画、数万坪にのぼる宅地造成を行ったことから。地名の由来は「風光明媚な六甲山の麓にある別荘地」にちなんだものだ。

六麓荘には電柱や電線がないが、これは全国に先駆けて地中化が進められたため。また、町内での営業行為は一切禁止されているため、商店・コンビニはもちろん、自動販売機も置かれていない。新居の建築も規制が強く、家を建てようとするときは計画時に芦屋市から申請の内容が町内会に伝えられ、そのうえ立体模型を作って許可を得なければならない。

さらに、芦屋市には六麓荘町と奥池南町のみを適用範囲とした景観保護条例、通称「豪邸条例」があり、敷地面積が400平方メートル以上で2階建て以下の一戸建て個人専用住宅しか建てられず、その高さも最高10メートルで、軒の高さは7メートル以下という規制が設けられている。

生半可な気持ちでは住人になれないという点では田園調布を凌駕するともいえ、まさに「日本一の高級住宅街」といえるだろう。

居住地格差❶

東京は「西高東低」、大阪は「北高南低」

地域には居住地に格差意識のあるところが多く、東京は「西高東低」といわれている。23区内でも高輪のある港区や田園調布の大田区、成城の世田谷区、広尾の渋谷区は西側だ。では、関西ではどうか？

大阪は府内も市内も「北高南低」だ。市内でいえば、北側の福島区、北区、都島区、旭区といったあたりは開発が進んで多くのマンションが建ち、交通アクセスも発達していて神戸や京都、東京へ行くにも便利な立地条件となっている。

一方の南部は、大正区、生野区、浪速区に西成区と、下町の雰囲気を残した場所が多く、交通アクセスも便利とはいいがたい。ただ、伝統のある高級住宅地といわれる帝塚山は阿倍野区、真法院町は天王寺区で市内でも南側。市内の格差は、新しさを求めるか伝統を求めるかで変わってくる。

府内に目を移せば、より「北高南低」の傾向は顕著だ。北部の豊中市、池田市、高槻市、箕面市といった北摂地域は、エグゼクティブなエリアとしてもてはやされている。しかし南部の泉州と呼ばれる地域は、関西国際空港のおかげで少しは開発が進んだものの、バブル崩壊で多くの計画が頓挫(とんざ)。同じ南部の南河内地域は、交通が不便ということもあり、郊外型の新興住宅地が点在する程度である。

とはいえ、歴史的に見れば大阪は〝南高北低〟だった。市制がしかれた順番は大阪市、堺市、岸和田市。堺市は中世の自治都市として発展し、岸和田市は岡部藩の城下町だったし、明治時代からは繊維産業で栄えた。南河内は高野山への入り口としてにぎわい、繊維産業を支えた綿花の一大産地だった。

大阪の北部が逆転したのは、やはり大阪万博の影響が大きい。万博は竹やぶしかなかった千里丘陵(せんりきゅうりょう)を切り開いて会場とし、インフラや交通網も整備された。日本で最初の大型ニュータウン「千里ニュータウン」も千里丘陵の開発によるものだ。

すなわち、広大な手つかずの土地があったからこそ開発は容易だった。そして、開発の波に乗り遅れた地域との格差が生まれてしまったということだ。

居住地格差②——京都と神戸の〝仁義なき〟格差事情とは

前述したように大阪は「北高南低」だが、京都と神戸はどうだろう?

まず京都市は「洛中(らくちゅう)」と「洛外(らくがい)」に分けられる。これは、平安京の区域内か、外かの違いだ。そして洛中とされるのが上京区、中京区、下京区の3区。洛中エリア在住の人の中には「上、中、下京区以外は京都とは言えまへん」という人もいる。

　そうした人にとっては、この3区が別格で、それ以外の区は京都ですらない。そもそも開発とは無縁どころか拒絶しがちな土地柄なので、交通アクセスが不便であろうが、高級住宅地でなかろうが関係ない。タワーマンションや新築の豪邸など「もってのほか」というわけだ。

　神戸は、東京・大阪と同じような表現を使えば「東高中低西高」となる。東側の灘区、東灘区は芦屋や西宮、宝塚に近くハイソな雰囲気だ。灘、東灘から西に移れば三宮の繁華街。そこから西は長田区、兵庫区といった昭和の下町風情を残す町となる。さらに西側は海水浴場で有名な須磨区、洋館が点在する塩屋のある垂水区だ。

　このように、神戸は地区ごとに特徴が異なっていて、洛中を中心とする京都とは異なり、モザイク状の街だといえよう。

「夏」を告げる風物詩——関西は〝神戸松蔭の衣替え〟で決まり！

　夏の始まりを告げる風物詩にはいろいろあるが、毎年のように新聞の関西版で報じられるのが「学生服の衣替え」。しかも、ある特定の学校の夏服が取り上げられる。その学校というのが、私立松蔭(しょういん)中学校・高等学校だ。

神戸市灘区にある松蔭中学・高等学校は、１８９２年に英国国教会から派遣された宣教師らが設立した伝統校。制服は１９２５年からほとんど変わらず、関西の制服ではトップクラスの認知度を誇る。

デザインは当時の卒業生の保護者が考案。ベルト付きのワンピースで、冬服は紺色で足元はタイツを穿(は)き、夏服は純白の半袖だ。胸元には「Shoin Mission School」の頭文字を取った刺繍(ししゅう)が施されている。夏場は涼しく見え、冬は暖かいだけでなく着痩せ効果があるのも人気だそうだ。

その伝統は引き継がれ、１００年近く経った現代においても古めかしくならず、新鮮で先進的な印象を与える。制服に憧れて入学する女子中高生も多く、

神戸では「制服といえば松蔭」と答える人も多いという。

松蔭では5月に衣替えを迎え、最寄りの阪急王子公園駅やJR灘駅から学校までの約1キロの通学路を、さわやかな白の制服の女学生が闊歩する。それを見て「ああ、もうすぐ夏が来るぞ」と阪神界隈の住人が夏を迎える準備をしだすという。

アメフト人気

東京からその歴史は始まったのになぜ「西高東低」なのか？

日本における学生アメフトの歴史は東京から始まった。スポーツ指導者・岡部平太が関東の学校に広めたのが始まりで、日本アメリカンフットボール協会が設立されたのは1934年。関西にアメフトが伝わったのは、戦後に入ってからだった。

現在、日本におけるアメフト人気の中心となっているのが大学アメフトだ。関東のチーム数は大学だけでも82チーム。一方の関西は51チームなので、関東が30近くも上回っている。チームの数だけを見ると、アメフト熱は関東のほうが高いと思いきや、実際の人気は関西のほうが上なのだ。

人気は数字にも表れており、関西1部リーグの1試合における平均観客数は約2300人と、関東平均の約1・5倍になる。また、グッズ売り上げも人気チームなら年間1000万円を超え、テレビやネットでの中継も好評である。

今でこそ関東の試合はネットで見られるが、かつては地上波でもめったに放送しなかった。こうした放送に対する姿勢も、人気の西高東低を示しているといえる。

関西で人気が高い理由は、「甲子園ボウル」と地元チームの活躍のためだという。甲子園ボウルとはアメフト全日本選手権の決勝大会であり、かつては関東リーグと関西リーグの制覇チームが戦っていた。会場は名前のとおり阪神甲子園球場。頂上対決を近場で応援できることから、関西のアメフト人気は高くなったようだ。

また関西チームのレベルも高く、甲子園ボウルでの通算成績は関東の28勝に対し、関西代表校は43勝。2000年代だけで見ると、関東は法政大学の3勝と日本大学の1勝だけだが、関西勢は関西学院大学の10勝、立命館大学の6勝、関西大学の1勝と圧倒している。ちなみに関西学院大学は54回出場して27勝を挙げ、2020年に甲子園ボウル4連覇を果たした強豪中の強豪だ。

さらには、関西では試合を見やすいようグラウンドを芝にしたり、アメフトルールを会場でアナウンスしたりするといった観客への配慮も忘れていない。

ただ関東でも、リーグの改革によって観客数が上昇傾向にあるという。そうした努力が実れば、アメフト人気の西高東低差が縮まる日も来るかもしれない。

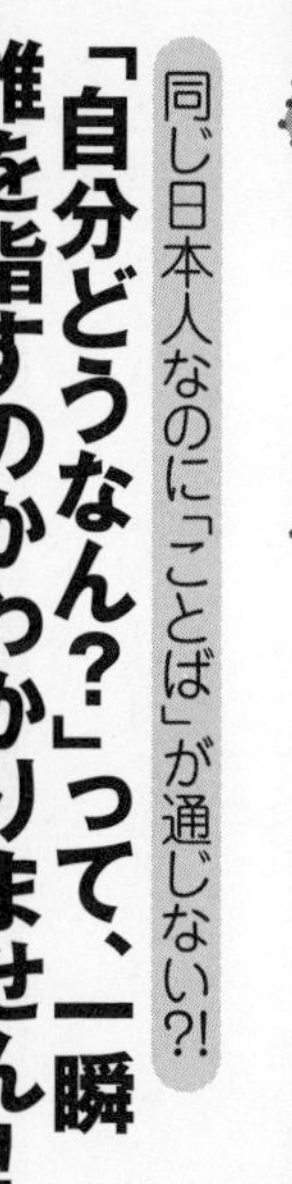

❻

同じ日本人なのに「ことば」が通じない?!

「自分どうなん?」って、一瞬誰を指すのかわかりません!

なぜ大阪人は、相手を「自分呼び」するのか

「自分、これから時間ある？」

そう関西人に聞かれたら、関東人なら困惑するかもしれない。

何しろ関東人にとっての自分とは、文字どおり自分自身のこと。「自分は不器用な男ですから」とか「自分は東京の出身であります！」というふうに使う。そのため、先の問いかけを関東風に訳すると「私はこれから時間がありますか？」となってしまうので、「キミの予定を聞かれても……」と戸惑う人も多いはずだ。

しかし、その関西人は自分の予定を忘れたわけではない。なぜなら関西人が人に「自分」というときは、目の前の人物を指しているからだ。つまり、先ほどの言葉は「あなたは時間が空いていますか」とたずねていたのである。

とはいえ、関西全域で使われてはいない。相手を「自分」と呼ぶのは大阪とその周辺のみ。なぜ自分を二人称として使いだしたかはわかっていないが、一説によると、親しみやすさを重んじたからだという。

知り合いに対して「あなた」と呼びかけるのは丁寧すぎるし、「お前」と呼ぶのも生意気と思われかねない。さりとて「君」と呼ぶのも気取っている。そのため、気

軽に使いやすく、下に見られにくい「自分」を使うようになったという。

もしくは、自分自身が相手と同じ立場であることを示す、一種の思いやりだという説もある。大人が子どもに「ぼく」と呼びかけるのと同じようなものだ。または「あなたは自分自身の考えとして～」という言葉を略しているという説もある。

いずれにしても、相手の立場と親しみやすさを大事にしていることは変わりない。つまりは、相手を自分に置き換えて親しみを表しているのが、関西における「自分呼び」なのだという。ところが、関東にも「自分」に似た言葉を二人称として使うことはある。それが「手前」だ。

手前は「自分の前」「自分の領域」という意味で、もともとは一人称だ。時代劇で商人の「手前どもの店では」というセリフもよく聞く。これが、べらん

めぇ調の「てめぇ」となると二人称。「てめぇさんがたは何かい？　あっしを斬るおつもりかい」は映画の主人公『座頭市』のセリフだ。

となれば、一人称だったものを二人称で使うのは江戸でも大坂でも同じだったが、大阪では今も使われているということになる。ちなみに「おんどりゃ、何さらしとんねん！」とか「われ、どこのもんじゃ！」という関西の言葉も、一人称が二人称に転化した例だ。ただ、あまり上品とはいえないので使わないほうが賢明だろう。

「難しい」「研究所」「山崎」…濁音にしないのが関西流！

漢字の読み方は、必ずしも全国で共通するとは限らない。「黄」の音読み一つをとっても「おう」と「こう」があり、読み方が確定していないものも多いのだ。このように、正しい語形が決まっていないことを日本語の「ゆれ」といい、このゆれについても関東と関西で規則性がある。

例えば、「難しい」という単語を何と読むだろうか？　関東人は「むずかしい」と読むだろう。しかし、関西人の中には「むつかしい」と読む人も少なくない。

国立教育政策研究所の調査によると、「むずかしい」と読む人の割合は全国で5〜

7割となっているが、関西では「むつかしい」の率が関東よりやや高いことがわかっている。同じように、研究所は「けんきゅうしょ」、奥深いは「おくふかい」というように、関西だと濁点を付けない読み方が好まれやすい。反対に、関東だと「けんきゅうじょ」や「おくぶかい」といった濁音言葉が一般的である。

では、なぜ関東では濁音が好まれ、関西では清音が定着しているのか。これについて、日本の中心が入れ替わる過程の中にヒントがあるという説もある。

かつて日本の中心は都のある京都であり、清音の澄んだ響きが好まれたが、東国では濁音が一般的だった。そして、江戸時代になって江戸が中心へと移る過程で関西と関東の言葉が混じり合い、濁音が主流となる。

明治維新後には学校教育により、濁音読みの標準語が定着。だが関西では従来の読み方が守られて、方言として清音読みが好まれたという。つまり、もとは清音だったものが濁音化したというわけだ。前述した「難しい」も、江戸時代を境に濁音化したという。

これは人名でも同様で、「山崎」は関東で「やまざき」なのに関西では「やまさき」、「中島」は「なかじま」と「なかしま」となる。

しかし、近年ではテレビやネットで気軽に関東の言葉に触れられるので、若い関西人の間にも濁音読みはかなり広まっているようだ。

「食べはる」「言いはる」…関西の便利な丁寧語とは

まだまだ学生気分の抜けない新人社員が、ノイローゼになるほど悩むというのが「敬語」。何しろ、同期以外、周囲はすべて先輩なので、あらゆるシーンで敬語が求められるからだ。

食べるは「召し上がる」、居るは「おられる」、言われたは「おっしゃった」など、確かに言葉によって異なるのはややこしい。しかし動詞に関しては、関西に便利な接尾語がある。それは「はる」だ。

例えば、食べるなら「食べはる」、居るは「いはる」、言われたは「言いはる」。「こちら、食べはりますか?」「社長はいはりますか?」「昨日、そう言いはりましたよね」という使い方だ。

ただ厳密にいうと、京都と大阪でこの「はる」の表現は異なる。例えば「行く」であれば、京都では「行か**は**る」、大阪では「行き**は**る」となる。また、京都においては「する」＋「はる」で「しやはる」「しゃはる」、「居る」＋「はる」で「いやはる」「やはる」など、独特な活用をする。

メールで「○○さん、それしゃはりますか?」などと他地域の人に送ると、意味を理解してもらえない可能性も高い。

また、「はる」を敬語とも限らない使い方をするのも京都の特徴だ。対象が目上の人でなくとも、例えば「○○さんのお宅に空き巣が入らはったんやて」「猫が寝たはるわ」などという使い方もするのだ。

いずれにせよ、関西では語尾に「はる」を付けると、柔らかいニュアンスで丁寧に伝わること間違いなしだ。

関西人が使う「半時間」とは「30分」のこと

文化や物の呼び名が違う関東と関西でも、時間の数え方に大きな違いはない。もしも地域によって違っていたら、日本は大混乱になってしまう。しかし東西の人が一緒に行動していたら、時々こんなやり取りをすることもある。

例えば、関東人と関西人が映画を見に行ったとしよう。関東人が「映画が始まるまで、あとどれくらいあるかな?」と聞くと、関西人は「うーん、あと半時間くらいやな」と時計を見て答えた。おそらく関東人はそれを聞いて不思議に思うだろう。

関東で時間単位の数え方をするのは1時間からで、半時間は聞き覚えがない。そこで「半時間って何なの？　3時間？」と聞き返すと、「3時間じゃなくて半時間や」と言われてますます疑問が深まる。ひと昔前まではこんなやり取りが意外にあったという。

では半時間とは何を指すかといえば、関東でいう「30分」である。30分は1時間の半分だから半時間。とてもわかりやすい用語である。今では30分という若い関西人も増えているが、年配者を中心に半時間呼びを好む人も少なくないようだ。基本的な時間単位に違いはないけれど、やはり細かな部分には関西特有の言い方があるのだ。

そもそも、江戸時代までの日本では1日を十二刻で区切り、最短の時間は四半刻（30分）だった。明

治時代に入ると西洋式の時報が導入されたが、「30分」という呼び方はあまり広まらず、昭和初期までは全国で半時間と呼ばれていたそうだ。先述のように旧来の刻限には半刻、四半刻という概念があったので、半時間と呼ぶほうが自然だったと思われる。

戦後に入ると、関東圏では生活の西洋化で「30分」が主流になった。だが、関西では浸透が遅れ、「半時間」が方言として定着したとされている。

しかし、関東でも完全に廃れたわけではないようだ。現在でも、1時間30分を1時間半と言うことはかなりあるし、1か月の半分は半月、6か月は半年である。これらもかつての風習の名残なのだろうか。

なぜ、関西では人でもないのに「さん付け」する?

「おはようさん」「ありがとさん」「お粥さん」など、関西ではさまざまなものを「さん付け」で呼ぶ場面に遭遇する。生活協同組合も「生協さん」だし、豆は「お豆さん」、太陽は「お日さん」、稲荷寿司は「おいなりさん」だ。

あらゆるものに親しみを込めていると言えなくもないが、崇拝すべき神仏に対しても同じ。戎神は「えべっさん」、観音菩薩は「観音さん」、天神宮は「天神さん」、八坂神社は「八坂さん」、伊勢神宮は「お伊勢さん」など、神社仏閣そのものや、祀られている神様に対しても「さん」を付けるのだ。

ルーツは諸説あるが、宮中や公家に仕えた女性たちの使っていた「御所言葉」をベースに作られた丁寧語であるという説が有力だ。御所言葉は「女房言葉」ともいい、人物以外の物などを「さん」と呼び、接頭語として「お」を付ける話し言葉だ。最初は、皇族や公家の食べ物に対して敬意を示すために「お○○さん」と呼び、やがて対象が広がっていったものと考えられる。社寺への「さん付け」も敬意の表れだ。

ただ例外もあり、馬は「お馬さん」だが、牛を「お牛さん」とは呼ばない。公家や武士が直接乗ることもある馬と、車を引かせるだけの牛では立場が異なるという理由だろう。

またルーツが女性の言葉であるためか、丸くて愛らしいものに対しても「さん付け」されることが多い。豆、芋、飴などがそれである。

ちなみに飴は、大阪ではオバチャンがバッグに常備しているといわれるが、大阪では「飴ちゃん」、京都や滋賀では「飴さん」となる。お気に入りのかわいいものに対しては、親しみを込めて「さん」が付けられていたのだ。

「カッターシャツ」と言っても関東人には通じない！

関西人が関東人に「オレ、昨日新しいカッターシャツ買うてん」と言えば、きっと相手には通じない。それどころか、「カッター？　危ないモノ？」と驚かれるかもしれない。

「カッターシャツ」とは「ワイシャツ」のこと。ただし、英語にワイシャツという言葉は存在しない。これは、洋装が一般的になりはじめた明治時代、ホワイトシャツを聞き間違えてワイシャツと呼んだのが始まりとされる。つまり、青や黒のシャツをワイシャツと呼ぶのは、厳密には誤りだ。

一方のカッターシャツは、大阪に本社を置くスポーツ用品メーカーの「ミズノ」が開発したものだ。

１９０６年に「水野兄弟商店」として創業した現在のミズノ（登記上の商号は美津濃株式会社）は、15年にスポーツ用シャツを開発。商品名を考えていた創業者が観戦していた野球の試合が終わったとき、「勝った！　勝った！」と声をあげて喜ぶ観客の姿を見て、その名を思いついたとされている。

マクドとマック、世界的には関西の「マクド」派が多いって?!

マクドナルドを略すとき、関西では多くが「マクド」。ところが、関西以外ではほとんどが「マック」呼びである。

関西では3拍で、真ん中の音にアクセントを置くという省略の仕方が好まれる。「ユニバ（ユニバーサル・スタジオ・ジャパン）」、「ロイホ（ロイヤルホスト）」、「ファミマ（ファミリーマート）」、「ケンタ（ケンタッキー・フライド・チキン。［ケンチキ］ともいう）」などの省略からもそれがわかるだろう。

この「マクド呼び」への情熱に、日本マクドナルドも感動（?）したのか、2017年夏、驚きのキャンペーンが展開された。「マックなのか？　マクドなのか？おいしさ対決！」がそれである。

内容は、マック軍は「東京ローストビーフバーガー」、マクド軍は「大阪ビーフカツバーガー」という限定メニューを発売し、反応をツイート数で競うというもの。呼び名対決なのに、限定メニューのおいしさで競うというよくわからない内容ではあったが、結果的に49％対51％の僅差でマクド軍が勝利した。

これを踏まえ、期間限定でホームページの一部を「マクド仕様」に変更しただけでなく、サラ・カサノバ社長のメッセージコメントが一部、大阪弁に翻訳されたのだった。

ちなみに、世界を見てみると、ロシアは「マクドナルズ、マクダック」、ドイツが「マッガス」、イタリアは「メック」、タイは「マック」。そしてフランスとフィリピンは「マクド」呼び！　関西と同じである。

くすぐられたとき、関西人は「くすぐったい」とは言わない

子どもや恋人、親しい友人とのスキンシップといえば、肩を組む、ハグをするなどがあるが、くすぐるという行為も意外と行われる。

このくすぐられたときに発する言葉、実は関東と関西で言い方が違う。関東の人をこちょこちょとすると「くすぐったい」と言い、関西人は「こちょばい」「こしょばい」とのけぞる。動詞でいうと、「くすぐる」「こちょばす」になるわけだ。

関西で多用される「こちょばい」を西日本という広域で見ると、「こしょばい」「こ

そばい」と言う人も多い。どれも語源は古語の「こそばゆい」に行き着く。「こそばい」を使う人は、「こしょばい」の変化する前の古語を現代でも使っていることになる。そして驚くべきことに、「くすぐったい」も語源は「こそばゆい」なのだ。

大和言葉である「こそばゆし」。これが「こそばゆい」に変わり、「こそぐったい」とさらに変わり、「くすぐったい」へ変わっていった。関東で使われる「くすぐったい」は、今では標準語となり、皮膚の刺激でむずむずするような感触を「くすぐったい」と表現する。

また人から褒められて照れくさくくすぐったいようなときも、関西では「そんなに褒められたらこちょばいわ」などのように「こちょばい」を使っている。

全国的に「画びょう」だが、関西地域に限っては「押しピン」

関西人の多くが勘違いしている言葉に「画びょう」と「押しピン」の違いがある。「全国で、画びょうのニックネーム的な感覚で、押しピンという呼び方が使われている。誰もが日常的に使っている」

ずっとそう思っていたのに、上京し、職場で「押しピン取ってください」というと、それが通じない。「え？　画びょうのこと？」と聞き返され、ここでやっと〝押しピン呼び〟がメジャーでないことを知り、ショックを受けるケースは多いという。

この〝押しピン呼び〟は、関西地域だけのもの。九州地方でもあるようだが、関東ではほぼ使わず、そのためほとんどの文房具店は「画びょう」で商品名を統一している。『広辞苑』にも、画びょうは「図面などを板や壁面にとめるための鋲（びょう）」とあり、押しピンは「画鋲に同じ」とある。

ただ、一部から「押しピン」表記は別の使われ方で浸透しているという報告もある。関東では、カラフルな色がついたプラスチックのダルマピンを「押しピン」と呼び、オーソドックスな金色の平らなアタマのものを「画びょう」と呼んで区別している人もいるようだ。しかし関西地域では、どちらも「押

しピン」と呼ぶため、押しピンは関西弁だと思われるようになったと推測される。押しピンの語源は、英語の「push pin（プッシュピン）」を訳したもの。push pinを調べると、確かにプラスチックのダルマ形のアタマがついたタイプの画像が出てくるので、形で分けて呼ぶのが一番わかりやすいかもしれない。

今では、押しピンでも画びょうでもなく、真面目そうな「画びょう」と表記して販売している文具店もある。同じアイテムなのに、「プッシュピン」と表記して販売しているお店もある。同じアイテムなのに、愛嬌（あいきょう）のある「押しピン」、オシャレな「プッシュピン」と個性が分かれるのが、言葉の面白いところでもある。

居酒屋で最初に出てくる小鉢、関東では「お通し」だが…

居酒屋で、注文していないのに最初に出てくる小鉢。関東ではあれを「お通し」と呼ぶ。語源は「注文を通した」。つまり、あの小鉢は注文を間違いなく聞いた証しというわけだ。そして料理が出る間の待ち時間、空腹を少しでも紛（まぎ）らわせる「サービス」でもある。料金は取られるが。

このお通しシステムが始まったのは比較的最近で、戦前の１９３５年頃から始まったのではないかという説が有力だ。当然ながら、あとから出される料理よりも軽く、酒が進む珍味、酢の物などが出されることが多い。

しかし、関西ではこの「お通し」を「突き出し」と呼ぶのが一般的だ。こちらの語源は、「お通し」に比べるとかなり迷惑モード。「客の注文とは関係なく突き出す」ことから、その名が付けられたという説がある。

確かに、頼んでもいない料理が来て、料金を上乗せされるというのは、商人気質が強い地域では、押し付けにも思えてしまうのだろう。

ただ、関西の突き出しは懐石料理の本場である京都から広まっているため、関東のお通しより豪華な場合が多いのだ。「料理が来るまでの間もたせ」というより、コース料理の前菜というイメージ。もちろん、関東のお通しより高額となることもあるが。

店にとっては席料的な料金も取れるし、余った食材も無駄にしないで済むというメリットがあるので、多くの居酒屋で導入されている。とはいえ、注文外のメニューに、1人当たり300～500円、高いところでは1000円がプラスされるシステムには、やはり賛否両論がある。

近年は〝お通しシステム〟になじみのない外国人観光客も多いので、彼らも巻き込んで「不要論」「擁護論」ともに盛り上がりを見せている。

「なおす」「かまれた」「よして」…関東人が誤解しがちな関西弁

全国の方言には独特の表現があり、ほかの地域の人が聞くと、面食らうものも多い。例えば、富山県の「だく」は「おごる」の意味、宮城県の「だから」は「そうだね」の意味だ。

同じように関西弁にも、標準語と同じ発音で意味の異なる言葉がある。まずは、「なおす」だ。

「向こうの部屋行くんやったら、これちょっとなおしといて」

こう言われてカバンを渡されたとする。関東人なら「なおせといわれても……」と困惑するだろう。

標準語の「なおす」は「直す」で、「修理する」という意味だ。もしくは「治す」で病気の治癒(ちゆ)を表す。しかし、関西の「なおす」は「しまう」という意味。「向こうの部屋に行くのなら、このカバンをしまっておいてください」ということになる。

また、蚊に腕を刺されたとき、関西人は「かまれた」という。蚊が人を咬(か)むことはないのだが、大阪などでは「刺す」よりこちらの呼び方が主流である。

そして、子どもが遊びに入れてもらうときに関東では「混ぜて」だが、関西では「よして」。「寄せて」が訛ったものだといわれている。

そのほか、「潰れる（＝故障する）」「えらい（＝疲れる）」などもある。ビジネスシーンにおいては特に、標準語の意味で解釈すると、思わぬ失敗につながることもありうるので、注意が必要だ。

関東では「ものもらい」と呼ぶが、関西では「めばちこ」

まぶたにポッチリと赤い腫れ物ができる「ものもらい」は、主に関東で呼ばれる名称だ。全国的には一番多い呼び方でもあり、「3軒の家から米をもらって食べると治る」などという俗信が名称の由来だとされる。

だが、ものもらいは関西で「めばちこ」と称され、全国区の言葉だと信じている人も多い。その名は「目をパチパチする」ことに由来するなど語源は諸説ある。

めばちこは大阪府、兵庫県での呼び方で、同じ関西でも京都府や滋賀県では「めいぼ」という人が多い。これは字のごとく「目＋いぼ」からきていて、四国などではこの省略型の「めぼ」なども使用される。九州の一部では「おひめさん」や「いんのくそ（犬の糞）」などと呼ばれることもあるらしい。

さて、医学的にいうと、「ものもらい」「めばちこ」は「麦粒腫（ばくりゅうしゅ）」といい、脂や汗を出すまぶたの腺（せん）に細菌が感染して起こる急性の化膿性炎症を指す。「霰粒腫（さんりゅう）」も同じような症状を起こすが、こちらは腺の詰まりから起こる炎症なので無菌性。

一見するとどちらかわからないため、「ものもらい」も「めばちこ」も一般的には麦粒腫と霰粒腫を合わせた炎症の呼称を表している。

梅雨どきの風物詩「カタツムリ」を、関西では何と言う？

四季のある日本では、夏になる手前に「梅雨」が存在する。ムシムシする季節はあまり好まれないが、一歩外に出ると、美しい紫陽花（あじさい）に心が癒やされることも多いだろう。そんな紫陽花にのろのろとした歩みで姿を見せるのが、カタツムリだ。

そんなカタツムリは、地域によって呼び名が異なる。関西では「デンデンムシ」と呼ばれるが、ほかの地方では「ででむし」「まいまい」「なめくじ」など、さまざまな呼ばれ方をする。そのルーツだが、もとはカタツムリも、似た姿のなめくじも、すべて「なめ」と呼ばれ、分かれていなかった。時代とともに呼ばれ方が変わっていったのだ。

カタツムリの「カタ」は「笠」から、「つむり」は「つぶり」、つまり「貝」からきているという説が濃厚だ。笠を着た貝という意味で、古くは「カタツブリ」と呼ばれていたという。

そして「デンデンムシ」の「でんでん」は、童謡でも「頭出せ」と歌われているように、殻からなかなか頭を出さないカタツムリに「出よ、出よ」と呼びかけることから転じていったといわれている。ちなみに「まいまい」は関東で多く呼ばれ、貝の渦巻きの「巻き巻き」から来ているという説がある。

カタツムリは昆虫ではないが、関西で関東と異なる虫の呼び方としては「アブラムシ」がある。これは草花に寄生するアブラムシではなく、ゴキブリのこと。また「コガネムシ」を「ブンブン」というところもある。

「シャベル」と「スコップ」、東西ではその呼称が反対だって?!

園芸でもおなじみの「シャベル」と「スコップ」だが、その名称も全国で統一されていない。例えば、シャベルを関東人と関西人に持ってくるよう頼んだら、関東の人は小さなものを、関西の人は大型のものを持ってくるはずだ。

関東では園芸などに使う小さなものをシャベル、工事現場などで利用される大きなものをスコップと呼んでいる。それが関西だと逆になる。しかし「建設用重機のショベルカーは、関東だとスコップカーなのか?」というと、これは全国共通で「ショベルカー」と呼ぶようだ。

JIS(日本産業規格)によれば、上部に足かけもできるものがシャベル、できない小型をスコップとしている。つまり、関西が正解ということになる。

そもそも、スコップはオランダ語を語源としており、江戸時代のオランダ語辞書『和蘭字彙(オランダじい)』にも「大杓子の類。土砂杯を匕(すく)ふ」と書かれている。対するシャベルは

英語であり、明治維新後の英語教育によって広まっていった。それらがやがて混じり合っていき、両方の用語が使われるようになったという。

そんな二つの呼称が、なぜ東西で反対になったのかはわかっていない。一説によると、関東の積雪地帯では大きなスコップで雪かきをしていたので、大きいものをスコップ、それ以外をシャベルと呼びはじめたという。

北海道などの豪雪地帯でも大型をスコップと呼んでいるので有力視されているが、雪国では先端の形状でも呼び分けているので決定的とはいえない。先端で区別する地方では、先が鋭いほうがスコップだ。結局のところ、なぜ分かれているかは未だに謎のままなのだ。

「体育座り」と関西で言っても通じないかも…

体育の授業で見られる、膝を立てて両足を両腕で抱えた座り方。関東では「体育座り」「体操座り」と呼ばれることが多いが、関西では「三角座り」と呼ぶ地域が多い。由来はその足の形からきているという。なお、北海道や東北地方では「安座」が使用されることが多いようだ。

体育座りと呼ばれることになった由来は明確ではないが、朝礼や集会などの際に貧血を起こす児童への対処として、1965年に文部省（現文部科学省）から学習指導要領を補足する「集団行動指導の手引き」で「腰を下ろして休む姿勢」として記載され、全国に浸透したという。

しかし、この座り方は、足腰に負担がかかるという意見もある。先述の手引きには、留意事項に「集団行動の様式だけを取り上げて形式的に指導すること、必要のない場面で画一的な行動様式を強要することは決して望ましいものではない」とあり、現在の文部科学省も「体育座りが絶対ではない」としている。

海外でも体育座りはほとんど用いられていない。そのため英語やフランス語、中国語、韓国語などで、「体育座り」を表す言葉はないのだ。

理髪店を、関東では「床屋」、関西では「散髪屋」と呼ぶわけ

理髪店は親しみを込めて「床屋」、または「散髪屋」と呼ばれることがある。2018年に「全国理容生活衛生同業組合連合会」が行った調査によると、一部の例外はあるものの関東では床屋、関西では散髪屋と呼ばれる傾向があるという。

この二つの名称だが、歴史が古いのは床屋のほうだ。13世紀後半の鎌倉時代、藤原采女亮政之なる武家の子息が下関（山口県）で髪結いの仕事を営んだことが、日本の理美容業の始まりだったとされる。采女亮が開いた店には床の間が設けられており、そこから「床の間のある店」ということで「床場」になり、やがて「床屋」と呼ばれるようになった。

ちなみに、昭和初期まで理美容業は毎月17日を定休日としていたが、これは采女亮の命日が１３３５年7月17日（10月とも）だったことにちなむ。

また、時代が下って室町時代後半に入ると、結髪と月代剃りを商売にするものが現れた。彼らの多くは家屋ではなく、簡単に折りたたむことができる「床店」という仮設店舗を設けて河原などで営業していた。その「床店」から「床屋」という名称が生まれたとする説もある。

一方、「散髪」は明治期に生まれた言葉だ。１８７１年、明治政府はまげを切ることなどを認めた「散髪脱刀令（断髪令）」を発布。まげを落とした「ざんぎり頭」は文明開化の象徴となり、75年ごろには「散髪」という言葉が人々の間で浸透するようになった。なぜ関西圏で散髪屋の呼称が広まったのかは定かではないが、〝新しもん好き〟の関西人が、当時はモダンだったこの言葉を好んで使っていたことが理由ではないかと推測されている。

なお、日本における理髪店の第1号は1869年に横浜で誕生したが、全国初となる理髪師試験は1919年に大阪で実施されており、電動理容椅子やパンチパーマ発祥の地も大阪といわれている。

刺し身のことを、関西では「お造り」と呼ぶのは？

生魚を薄く切って味わう料理を、あなたの地域では何と呼ぶ？　「刺し身」だろうか、それとも「お造り」だろうか。基本的には、関東では「刺し身」、関西では「お造り」が多用される。

厳密には刺し身とお造りは少し異なる。刺し身は「生の食材を切った料理全般」、つまり魚のみならず牛肉や馬肉、こんにゃくなどを含むあらゆる食材が対象となる。対するお造りは「生魚を切った料理」に限られる。

室町時代ごろまでは、刺し身もお造りも「切り身」と呼ばれていた。しかし、武家社会で「切る」は縁起が悪いことや、魚の種類がわかるように身に尾びれなどを刺していたことから「刺し身」と呼ばれるようになったという。

しかし関西では「刺す」という言葉も死を意味する言葉だったことから避けられ、「作り身」という言葉が登場。それが転じて「お造り」が生まれたといわれている。

さらに、関西では京料理に代表されるように、料理に美しさを求めていた。そのため、ただの切り身ではなく、あしらいなどひと手間を加えたものを「造る」というイメージから「お造り」が主流になったという。

「肴」「つまみ」のことを、関西ではこう言う！

刺し身やお造りのように、酒と合わせて味わう料理を「肴（さかな）」という。元は「酒菜（菜＝おかず）」と書いていて、魚は音読みで「うお」と呼ばれていた。そして酒とともに魚が食されることが多かったことから、魚を肴と呼ぶようになり、転じて訓読みは「さかな」となる。

つまり、肴とは「酒席の席で出される料理」のことであり、「酒の肴」は重ね言葉で誤りなのだ。

肴のことを「つまみ」や「アテ」と呼ぶこともあるが、「アテ」は関東では通じない。「つまみ」は、するめなどの乾きものや焼鳥など手でつまんで食べるおかずを

「つまみもの」と呼んでいたことに由来。

一方「アテ」は酒に「あてがう」おかずという意味を語源としている。どちらかというと、お通しのような小鉢料理を指していたとされる。

関東では「ミルク」、関西では「コーヒーフレッシュ」と呼ぶわけ

コーヒーに入れるポーションタイプのクリームは、関東では「コーヒーミルク」「ミルク」などと呼ばれ、関西では「コーヒーフレッシュ」という呼称が一般的だ。

関西でコーヒーフレッシュと呼ばれるようになったのは、大阪府八尾（やお）市に本社のある「メロディアン」が、植物性油脂を乳化させて作った自社製品を「コーヒーフレッシュ」と名付けて広めたからである。

また、「スジャータ」をはじめとするポーションタイプのクリームで有名なメーカー「めいらく」グループも、コーヒーフレッシュと呼んでいる。そのため、本社がある愛知県名古屋市を中心とした中京地区も「コーヒーフレッシュ」と呼ぶのが主流。なかには、ポーションタイプのクリームを全て「スジャータ」と商品名呼びにする人も多いという。

ちなみに、このスジャータという名前、お釈迦(しゃか)様のあるエピソードに由来することはよく知られている。悟りを開くため、長期間の修行をしていたお釈迦様が、断食(だんじき)で力つき、倒れてしまった。そんなとき、ある娘が乳粥(ちちがゆ)を差し出したのだが、その娘の名が「スジャータ」だった。お釈迦様はこの乳粥を食べて「苦行のみでは悟りを得ることができない」と気付いたとされる。

このように、加工品の呼び方は、地方で人気のあるメーカーや商品名が強く影響しているケースが多いのだ。

関東でいう「きつねそば」が、大阪で「たぬきそば」になる謎

きつねうどんと聞けば、関東でも関西でも、甘く煮付けた油揚げ入りのうどんを想像する。油揚げが関東では三角で関西は四角、汁は関東風だと甘辛いなどの違いはあるが、うどんの定番メニューであることは変わりない。大阪だと「きつね」というだけで注文できるほどだ。

ただ、もし大阪人が関東で「きつねちょうだい」と注文したら、こう聞き返されるだろう。

「うどんでしょうか？　そばでしょうか？」

なぜなら、関東には甘辛い油揚げをのせた「きつねそば」があるからだ。対する大阪にきつねそばはない。油揚げがのったそばはあるのだが、その名称は「たぬきそば」である。そばがきつねうどんに化けたようだから、たぬきと名付けられたという。

東京でたぬきといえば、揚げ玉入りの「たぬきうどん（そば）」だ。ちなみに、揚げ玉を関西では「天かす」という。揚げ玉入りが、なぜたぬきかというと、天ぷらのふりをしているからだそうだ。

別の食べ物のふりをしているという点では、東も西も同様である。しかし、大阪で天かす入りは「はいからうどん（そば）」と呼ばれている。これもまたややこしい。

ちなみに京都だと、きつねは刻んだ油揚げとネギを入れたうどんやそばのことだ。たぬきは、これら

大阪	東京
きつねうどん	きつねうどん
たぬきそば	きつねそば
はいからうどん	たぬきうどん
はいからそば	たぬきそば
素うどん	かけうどん
かけそば	かけそば

に餡をかけたものとなっている。麺をかき分けたときに出る湯気が、化けだぬきの変身を思わせることが名前の由来だとされる。

そもそも大阪だと天かす取り放題の店が多いので、わざわざたぬきを頼まなくても、具のないうどんにトッピングするだけで事足りるという事情がある。この具なしうどんを関東が「かけうどん」と呼ぶのに対し、関西では「素うどん」。何も具がない素の状態だから素うどん。とてもシンプルだ。

しかし、具なしそばの「かけそば」は素そばと呼ばず、かけそばである。少々わかりづらい。

関西でもチェーン店では、(関西でいう)たぬきそばを、(関東でいう)きつねそばと表示しているところもある。ただし、注文を聞きにきたオバチャンに「きつねそば」と注文すると、厨房に向かって「たぬき一丁!」と通す。この声を聞いて、なぜだかほっとするのも大阪人ならでは、である。

チューハイとサワー、同じ物なのになぜ東西で呼び名が違う?

焼酎(しょうちゅう)やウオッカといった蒸留酒に、レモンやライムなどの果汁を加え、炭酸水で割ったアルコール飲料。あなたはこれを何と呼んでいるか？
「チューハイ」と答える人もいれば、「サワー」と呼ぶ人も多いのではないだろうか。実はこの呼称には地域差があり、関西ではチューハイ、関東ではサワーと呼ばれることが多いという。

まず、チューハイは戦後に広まった「焼酎ハイボール」が語源で、焼酎の〝酎〟とハイボールの〝ハイ〟を組み合わせた言葉だとされる。ハイボールはウイスキーなどをソーダ水で割った飲み物を指すが、当時の洋酒は高価で庶民には高嶺（たかね）の花だった。そのため、東京の下町の大衆酒場などではベースとなる酒を焼酎に替えて、炭酸水で割ったアルコールドリンク、すなわち焼酎ハイボールが飲まれるようになった。

その後、さまざまな果汁を加えて飲むスタイルも登場し、やがてこれらが「チューハイ」と総称されて、全国各地の酒場に広がっていったと考えられている。

一方、「サワー」の語源は英語の「sour（酸味がある）」で、チューハイとほぼ同じ意味で使われている。この言葉が関東圏に浸透した理由は、一説では「ハイサワー」という商品の普及にあると考えられている。ハイサワーとは飲料メーカーの「博水社」が１９８０年に発売した割り材だ。

これは果汁入りの炭酸水で、酒と混ぜるだけで本格的なサワーを作ることができる優れもの。その手軽さからハイサワーは人気を博し、愛飲者を増やしていった。ただ販売エリアは関東が中心だったため、関西ではさほど認知度が高まることはなかった。そうした経緯もあって関西方面ではチューハイの呼称が定着するようになったと考えられている。

ちなみに、ハイサワーの〝ハイ〟はハイボールではなく「わが〝輩〟が作ったサワー」に由来するとされ、最初の商標登録名も「輩サワー」だったという。

「さらっぴん」「はな」「だいびん」…関西人が使いがちな方言とは

「さらの服」「さらにする」と聞いて、関東の人は首をかしげるだろう。この場合の「さら」は決して「皿」ではなく、「新しい」を意味する。そして、「新品」のことを「さらっぴん」という。

さらは漢字で「更」と書き、更は「新しくする」「改める」を意味する。「更地」は「建物などが建っていない土地」である。「さら」は古くから使われている言葉で、古語辞典にも登場するほどだ。

また、「最初」や「先頭」のことを「はな」ともいい、「はなから言うとけ」は「最初から言っておいてください」の意味となる。こちらも古い言葉で、漢字では「端」。顔にある「鼻」と同義語だ。

このように、関西には古語を由来とする言葉が、いくつも残されている。長く都があった土地ゆえのことだろう。

古語ではないが、同じ漢字でも読みが異なることもある。ビールの「大瓶」は関東だと「おおびん」、関西は「だいびん」である。同様に、「小瓶」は「こびん」に対して「しょうびん」。ただし、「中瓶」や生ビールの「大ジョッキ」は、東も西も「ちゅうびん」「だいジョッキ」だ。

ビールに関しては、生ビールの中ジョッキを注文するとき、「生中」か「中生」か？ということが話題になる。これに関しては、地域によってあまり差はないものの、比較的、関西に「生中派」が多いらしい。

関西でしか通じない「モータープール」とは何か

1980年代後半に流行ったのが、ビリヤードもできてお酒も飲める「プールバー」だ。ポール・ニューマンとトム・クルーズが出演して話題となった映画『ハスラー2』が流行のきっかけともいわれているが、当初は水泳用の「プール」があるバーと勘違いした人もいて、実際に水の張ったプールを備え付けたバーも登場した。

ビリヤード台を「プール」と呼ぶのは、かつてはポケット式ではなく台の隅に球を「溜めた」ことに由来する。そもそも「プール」には「集まる」「溜める」という意味があり、水泳用のプールも「水を溜めた施設」が由来だ。

そんな「プール」という名称を、関西では水のない施設にも使っている。「モータープール」である。この場合、「モーター」は自動車のことで、自動車が集まる場所＝駐車場を意味する。

その起源は戦後にまでさかのぼり、1953年には阪急梅田駅の南東に「梅田モータープール」が開

業。同年に国鉄（現ＪＲ）大阪駅前に当時日本一の高さだった地上12階建ての「第一生命ビルディング」が誕生した際、地下２、３階にモータープールを備えたとの新聞記事もある。

名称の由来は、戦後に進駐軍の車両待機所を「モータープール」と呼んでいたのがルーツだとの説もある。また、現在でも自衛隊の配車場はモータープールと呼ばれ、そもそもは軍隊や官庁の集中配車場のことをいったようだ。ただ、なぜ関西、特に大阪だけにこの呼び名が定着したのかは不明である。

なお、「バスプール」という呼称もあり、こちらはバスターミナルのこと。仙台駅前には「バスプール前」という交差点も存在する。

関西ならでは？　ややこしい学校の名前

２０１８年、日本大学と関西学院大学アメリカンフットボール部の定期戦で、日大の選手が反則タックルを行った。記憶している人も多いと思うが、このとき、テレビの報道番組で、アナウンサーが学校名を間違うというハプニングが起きている。「日大」もしくは「日本大学」を間違えることはなかったが、問題は関西学院大学。

これを「かんせいがくいんだいがく」ではなく「かんさいがくいんだいがく」と呼んでしまったのだ。

関西学院大学の公式サイトによると、1889年の創立当時は東京を「とうけい」というように漢音読みする傾向があり、校名もそれにちなんだとする。

このほかにも、関西には〝ややこしい名前〟の学校が複数ある。関西に住んでいる人でも間違えてしまう代表格は、「樟蔭学園」と「松蔭女子学院」の2校だろう。

学校法人の樟蔭学園は東大阪市に本部を置き、大学、短期大学、高校、中学、幼稚園を展開する。ルーツは1917年に設立された私立樟蔭高等女学校だ。校名は「樟の余芳の蔭」、つまり河内出身の武将・楠木正成の夫人・お久の方の、いつまでも残る「余芳＝遺徳」にあやかるという意味から付けられたという。お久の方は、正成亡きあと6人の子どもを立派に育て上げた賢夫人として知られる。

神戸の松蔭女子学院は大学と高校、中学（高校、中学については153頁も参照）を置き、「松が意味する慎み深さと貞節を大切に、勉学に励む姿」が校名の由来だ。

ただ、どちらも読みは「しょういん」なので、関西で樟蔭は「大阪樟蔭」、松蔭は「神戸松蔭」と呼ばれ、大学名は「大阪樟蔭女子大学」「神戸松蔭女子学院大学」となっている。

同様に、同じ読みだが全く別の高校が「桐蔭(とういん)高校」である。全国的に有名なのは、野球部が春夏合わせて甲子園で8回優勝を果たした「大阪桐蔭高校」だろう。

一方の「県立桐蔭高校」は、和歌山県下でトップクラスの進学校。こちらもかつては野球の強豪校で、旧制の和歌山中学時代には、1921年と22年に全国中等学校優勝野球大会で史上初の夏2連覇を達成し、桐蔭高校となってからも48年、61年、86年に甲子園に出場。48年と61年は準優勝を果たしている。

❼

「乗り物事情」から見える東西の違い

特急なみに早い「新快速」、なんで東日本にないのん？

タクシーのサービス、東京と大阪ではどっちが良い？

東京の人は、大阪のタクシーはサービスが悪いと言う。しかし大阪の人は、東京のタクシーのほうがサービスはなっていないと言う。もちろんドライバーにもよるのだが、理由の一つとして考えられるのは運転手の無駄話だろう。

大阪のドライバーは、道中の会話もサービスのうちだと考えている。連れがいるのなら別だが、一人客の場合、何も話さなければ「無愛想な運転手やった」という悪評を受けてしまうことがあるのだ。一方、東京の人は無駄話を好まない。できれば目的地まで黙って届けてくれるほうがいいと考えている。

しかも大阪の場合、タクシードライバーも大阪弁だ。東京の人にとっては、言葉遣いが荒っぽいイメージがある。大阪以外でも、京都や神戸、奈良といった観光地の運転手は話し好きである。運転はもちろん、場合によってはガイドを担当することもあるためだ。

ただ、1960～70年代まで、大阪ではタクシーの評判は良くなかった。1メーター程度なら、乗車拒否は当たり前。道が混雑していると、客の許可なく遠回りされることもあった。

さらに、1970年に万国博覧会が開かれると、タクシー業界は観光客で大繁盛。地元の客など相手にもしない。そのため万博が終わるころには、大阪人のタクシー離れが進んだ。

しかも、万博を契機に路面電車が全廃され、地下鉄網が整備される。加えて、自動車の普及と路上駐車の増加により、大阪市内の道路は混雑が激化。「タクシーで行くより、地下鉄のほうが早い」ということで、客離れに拍車がかかった。危機感を抱いたタクシー会社はサービスに力を入れはじめ、現在に至るというわけだ。

タクシーの色、関東が派手で関西は黒一色なのは？

関東と関西の道路をじっくりと観察すると、タクシーの色の違いに気付くだろう。近年、のっぽの深藍色のタクシー（JPN TAXI）が増えているが、関東ではまだまだ赤や黄、緑など派手な色が多い。対する関西では黒色タクシーが圧倒的だ。大阪や神戸、京都などの主要駅には黒い車体がずらっと並んでいる。これには、関西人の合理性が少なからず影響しているといわれている。

車体が黒いタクシーは、関東では一般的なタクシーよりワンランク上のグレードの車種が多い。タクシー会社によっては、黒いタクシーを運転できるドライバーは専用資格に合格する必要があるなど、相応のスキルと接遇を求められることもあるほどだ。

そして関東のタクシー会社は、各社がシンボルカラーを決めている。ひいきの会社がある人には、ありがたい措置といえるだろう。

一方の関西は、前述したように万博後の客離れを解消するために高級感を演出したといわれている。「地下鉄に乗らんと、わざわざタクシーを選んでもろたんやから、到着するまでぜいたくな気分を味わってほしい」といったところか。

さらには、黒いタクシーはハイヤーとして使えるという利点がある。東京ならハイヤーは専門の車を使うが、大阪では通常はタクシーとして使用し、予

約が入れば天井灯をはずしてハイヤー仕様にする。こうした合理性は大阪ならではといえるだろう。

バス運賃、関東は「先払い」で関西は「後払い」が多いわけ

関東と関西の乗り物事情の代表格といえるのが、バスの乗り降りと運賃の支払い方法だ。バスの料金制度は「均一制運賃」か「距離別運賃」に分けられ、乗降は前乗りと後ろ乗り、前降りと後ろ降りの組み合わせである。

首都圏では、多くが「前乗り・後ろ降り・先払い・均一制運賃」のスタイルを取っている。これは営業距離の短い路線が多く、後ろ降りのほうがどの席からでも降車に便利なためだ。

一方、関西では営業距離の長い路線が多いため、距離によって料金を変えている。そのため乗車時に整理券を受け取り、降りる際に整理番号に伴った金額を支払う。つまり、乗客の乗った停留所と降りる停留所によって支払う運賃が違うため、後払い制を採用。両替の需要も多く、ドライバーに整理券を見せるため前降りが効率的なのだ。

また、関西でも主要都市には均一性運賃が多いが、それでも後払い制の会社が多い。それは、距離別運賃時代に後払いシステムを使用していたことで、それに慣れた乗客に寄り添ったものだといわれている。

もちろんイレギュラーもあり、すべてがこのとおりではない。東京多摩地区の都営バスは距離別運賃なので、乗・降車の位置および運賃支払いのタイミングが全て逆になる。

大阪市営バスは均一運賃だが後ろ乗り・前降り。乗り継ぎ制度で乗り換え時間が90分以内の場合、1回は無料となるため先払いでは不都合が生じるからだ。

特急並みに速い「新快速」が東日本にないのは？

最高時速130キロというスピードを誇り、通勤に重宝されている「新快速」。1970年10月1日から運転を開始し、JR西日本の京阪神圏を走っている。またJR東海の中京圏でも、最高時速は120キロであるものの、新快速は存在する。

しかし、JR東日本には「新快速」という列車はない。「特別快速」という列車は存在するものの、表定速度は関西や中京ほどは速くない。時間に追われる慌ただしい首都圏に「新快速」がないのは、意外にも思える。

だが、理由は至ってシンプル。ＪＲ東日本の路線にはカーブが多く、高速運転ができるところが少ないからだ。さらに建物が多い地域を走るため、しばしば減速する必要がある。そのうえ、通勤ラッシュの時間は人数がとんでもなく多いため、速度を上げるより電車の本数を最大限に増やすほうが求められる。

つまり、ＪＲ東日本は利用者の都合、土地の条件など、さまざまな理由で新快速の導入が不可能なのである。

一方、ＪＲ西日本やＪＲ東海は逆。満員電車といっても混雑率は１５０％未満だし、直線が多いために速度を出せる区間が多い。そして何より、ＪＲ西日本には「並行私鉄との競争」という切実な理由が存在するのだ。

関西は「私鉄王国」と呼ばれるほどで、ＪＲ西日本の主要路線網の多くの区間に私鉄が近接している。当然、鉄道利用者を分け合うことになってしまう。新快速は、客を離さないためにＪＲ西日本が打ち出した「勝負の一手」なのである。

つまり、ＪＲ東日本とＪＲ西日本では、地域性や乗客の要望、会社が求める方針が全く違うのだ。そのため、ＪＲ東日本の利用者に「関西には新快速がある」と自慢しても、あまりうらやましがられないかも……。

グリーン車が普通列車にも付いている関東、廃止された関西

関西人にとっての「グリーン車」は、新幹線や特急のみに付いているワンランク上の車両だ。普通の席より少々値は張るが、ゆったりと座れるので快適な旅行を楽しみたい人には最適だ。そんな特急のみのイメージが強いグリーン車は、関東だと普通列車にも付いている。

といっても、全ての車両に備えられているわけではない。グリーン車があるのは、2021年4月の時点でJR東日本の東海道線や伊東線、宇都宮線、高崎線と湘南新宿ライン、そして横須賀・総武線快速、上野東京ライン、常磐線の普通か快速列車である。

つまり、連結されているのは首都圏の電車がほとんどで、通勤ラッシュを避けるために利用する会社員も少なくないようだ。

対して、関西圏の普通電車にグリーン車はない。昭和期には京阪神地区の通勤列車に接続されていたのだが、1980年に廃止されて以降、関西のグリーン車は特急か新幹線にしかないのだ。

関西で廃止されたのは、追加料金の支払いを嫌がられたからだという。到着する時間は変わらないのに、わざわざ余分なお金を出してまでグリーン車に乗るのはもったいない。多少の快適さよりも安さを優先するという、関西の金銭感覚がここでも発揮されたというわけだ。

代わりに人気を集めているのが短距離特急である。短距離と呼ばれるように、始発駅から終点までを30分程度で走る有料特急のことだ。南海電鉄の「サザン」と「ラピート」、京阪電鉄の「プレミアムカー」やJR神戸線の「らくラクはりま」などは通勤特急としても運用されている。

これらの通勤特急は、人口減による利用客減少を見越した増収策であるという。しかも途中駅からでも簡単に座れて、無料席がないので不公平感が少ないことから、通勤の足とする会社員も少なくないという。価格重視の関西人といえども、通勤ラッシュの苦しみは、耐えがたいもののようだ。

「路線名」の付け方は東西で大きく分かれるって?!

鉄道の各路線にはJR東日本の埼京線、京王電鉄の京王線、東武鉄道の東上線、関西ならばＪＲ西日本の大和路線、南海電鉄の高野線、阪急電鉄の神戸線、京都線などの名称が付けられている。

こうした鉄道の路線名は、経由する地域やかつての国名などから付けることが多い。しかし、そんな名称の付け方についても、東西で異なる法則性が存在する。

まず、関東の路線は出発点と終着点の地名をくっ付けた名称にされやすい。例えば、京王線が結んでいるのは新宿駅と京王八王子駅であり、東京の「京」と八王子の「王」を取って京王線とした。

埼京線も埼玉県の大宮駅と東京の大崎駅を結んでいるので埼京線。東上線は少々事情が複雑で、東京池袋から埼玉の寄居までだが、もともとの計画では群馬県の上野まで延長するはずだったため、路線名だけが東上線となった。

これに対して、関西の路線名は行き先のみが表記されていることが多い。神戸線と京都線は、それぞれ大阪梅田から神戸と京都に向かい、高野線の終点は高野山と実にわかりやすい。

つまり、関東の路線は出発地と到着点を結んだ「往復型」、関西は終点の名称を表記した「到着点型」が多いのである。

次に東京と大阪の地下鉄を比較すると、ここでも名称に違いがある。東京では日比谷線、銀座線、浅草線など、主要駅の名称を使う路線が大半である。または東西線や都営大江戸線のように、方角や愛称で呼ばれる路線もある。地下鉄が発達しすぎて、地上路線のような往復型の名称を付けられないためだ。

これに対して大阪の地下鉄は、主要道路の名前を流用したものが多い。実際、御堂筋線、堺筋線、四つ橋線、谷町線などは、地上を走る道路の名がそのまま付けられている。

京都の地下鉄は東西線と烏丸線があるが、東西線は方向で、烏丸線は烏丸通の下を走っているから付けられた。神戸の地下鉄は海に近い海岸線、山間部の西区方面へ向かう西神・山手線、新神戸駅から六甲山を貫き北区へ向かう北神線の3路線が走っている。

大阪に「〇〇市駅」が多い もっともな事情とは

全国には「〇〇市駅」という駅名が存在する。大きな理由の一つは、すでに地名を別の鉄道で使われていて、新設される駅名と区別するために「市」を入れる例だ。大阪でいえば、ＪＲの「高槻駅」と阪急の「高槻市駅」、ＪＲの「茨木駅」と阪急の「茨木市駅」などがこれに当たる。また、１９７１年開業の京阪「新門真駅」は、同じ京阪「門真駅」が「西三荘駅」に変わることから混乱を避けるために、１９７５年に「門真市駅」に改称されている。

さらには、駅付近にあった名所や観光地の影響で「市」をつける駅もある。南海高野線の「大阪狭山市駅」はかつて「狭山遊園前駅」といった。だが、２０００年に狭山遊園が閉園してしまう。駅名を変更する必要に迫られたが、高野線にはすでに１８９８年開業の「狭山駅」が一駅隣に存在する。苦肉の策として「大阪狭山市駅」の名を付けたのだ。

この「〇〇市駅」は大阪府に多い。40近くある市駅のうち大阪府内は10駅もあり、全体の約4分の1となる。その理由は、私鉄同士やＪＲと並行路線が多いためだ。

例えば、堺市は南海本線、南海高野線、JR阪和線の3路線が南北を走り、南海本線の堺駅に対し、JR阪和線が堺市駅、高野線は堺東駅となる。市駅ではないが、府内南部に隣接する岸和田市、貝塚市、泉佐野市には「東岸和田駅」「東貝塚駅」「東佐野駅」という駅がある。全て「東」が頭に付くのだが、これらはすべてJR阪和線の駅名。各市のメイン駅である「岸和田駅」「貝塚駅」「泉佐野駅」は、いずれも南海本線の駅だ。

天王寺駅と和歌山駅を結ぶ現在のJR阪和線は、1929年に私鉄の阪和電鉄として開業（翌年全線開通）。そののち、南海電鉄に合併されて南海山手線となり、戦時中の1944年に国有化される。

つまり、それまで大阪市と和歌山市を結ぶ国の鉄道路線はなかった。そのため、南海山手線時代に付けられた駅名が、そのままJRの駅として残されているのだ。「私鉄王国大阪」だからこその駅名といえるだろう。

「JR○○駅」が大阪にやたらと多いのは？

関東ではちょっと考えられないが、関西にはJRの駅名に、あえて「JR○○駅」

と入れる駅名が多数存在する。その先駆けがＪＲ大和路線の「ＪＲ難波駅」だ。

ＪＲ難波駅は、長らく「湊町駅」の名前で親しまれていたターミナル駅だった。しかし、１９９４年の関西国際空港のオープンが間近に迫ると、空港と大阪市内をつなぐ関空快速の発着拠点が必要となる。だが、キタの大阪駅と違い、ミナミの湊町駅は地下鉄や私鉄とのアクセスも悪く、場所も繁華街から離れた場所にあり知名度も低かった。

そこでＪＲは湊町駅の地下化を進め、ターミナルビルを建設し、地下街の「虹のまち」（現なんばウォーク）や地下鉄四つ橋線とも地下道で連結する。さらに、知名度の高い「難波」という地名を駅名にしようと考えた。

だが、「難波駅」の名は南海線、近鉄（現大阪難波駅）、地下鉄がすでに使用し、南海と大阪市営地下鉄（現大阪メトロ）の主要路線である御堂筋線の難波駅とは徒歩で10分ほどの距離がある。そこで、混乱を避けるために「ＪＲ」を冠したといわれている。

その後、ＪＲ淡路、ＪＲ野江、ＪＲ河内永和、ＪＲ俊徳道、ＪＲ長瀬、ＪＲ総持寺と、「ＪＲ」と付く駅名は枚挙にいとまがない。

これは、基本的に私鉄と同じ駅名をＪＲが新設する際、区別するためだとされる。

つまり、大阪は私鉄が先行し、JRが後追いをするパターンが多いというわけだ。同じように、京都のJR三山木、JR藤森、JR小倉、奈良のJR五位堂も私鉄が先行、JRが後追いしてできた駅である。

関東には一つだけだが、関西には三つある「路面電車」

関東では東京の「東京都電車」（都電）だけだが、関西は三つの路面電車が走っている。一つは京都と滋賀県を結ぶ京阪京津線。残りの二つは大阪の「阪堺電車」と京都の「嵐電」だ。京阪京津線については後でくわしくふれる（216頁）ので、ここでは阪堺電車と嵐電について説明したい。

阪堺電車は正式名称を「阪堺電気軌道」といい、警笛の代わりにカネを「チンチン」と鳴らすことから、地元の人々からは「チンチン電車」もしくは「チン電」の名で親しまれている。

天王寺駅前駅から住吉駅を結ぶ上町線、そして恵美須町から堺市の浜寺駅前駅を結ぶ阪堺線の2線路が運行。沿線には安倍晴明が生まれた場所とされる安倍晴明神社、南北朝時代の青年公卿で武将でもあった北畠顕家の墓、毎年初詣でにぎわう住吉大社など、名所・旧跡も多い。

嵐電は京福電車の愛称で、東は四条大宮駅から出発し、帷子ノ辻駅で嵐山本線と北野線に分かれる。京都らしく、雅な紫の色をした車両も運行している。嵐山線の終着駅は観光地として有名な嵐山駅であり、北野線の終点である北野白梅町駅は菅原道真を祀る北野天満宮に近い。

沿線には龍安寺や仁和寺といった世界遺産をはじめ、国宝「弥勒菩薩半跏像」を安置している広隆寺、末社の芸能神社を擁し芸能人の寄進した玉垣がずらりと並ぶ車折神社といった神社仏閣が多く、東映太秦映画村も嵐電の利用が便利だ。

阪堺電車の路線距離は二つの路線を合わせて約18キロ、嵐電は2路線の合計で約11キロ。都電は現在、荒川線のみが残っており、これが約12・2キロ。各線の運賃はいずれも均一で、阪堺電車が大人料金で２３０円、嵐電は２２０円、都電は１７０円と、都電のほうがお得になっている。

京都の地下鉄延伸計画が進まない「いかにも」な理由

現在の関東と関西では、共に地下鉄の延伸計画が進みつつある。２０２１年１月

27日のNHK報道によると、東京メトロの完全民営化計画による株式売却にあたって、東京都が新路線の整備を求めたことがわかった。

要求されたのは「有楽町線の延伸」と「都心部〜臨海部間の新路線」。まだ決定してはいないが、実現すれば都心と副都心のアクセスが向上するだけでなく、通勤ラッシュも大幅に緩和できると期待されている。

対する大阪でも、2017年5月に大阪府と市がJR西日本、南海電鉄、阪急電鉄の3社と共同で、新路線「なにわ筋線」の建設を開始することが合意された。その計画では、JR難波駅および南海本線新今宮（しんいまみや）駅と、2023年開業予定の北梅田駅（仮称）を結ぶ路線となる予定だ。

これによって、関西国際空港から梅田までを乗り換えなしで往復できるようになり、JR大阪環状線

の混雑も解消される見込みだ。このように、関東でも関西でも地下鉄路線の整備には力が入れられている。

しかし、関西にはユニークな理由で地下鉄延伸が難しい都市もある。それは京都市である。

京都市では「京都市営地下鉄」の路線拡張を幾度か計画しており、烏丸線は竹田(たけだ)駅から南へ延ばして京阪本線に接続、東西線も太秦天神川(うずまさてんじんがわ)から延伸する構想を上げている。

だが、この計画はまだ実行されていない。京都市交通局の財政難はもちろんだが、遅れの最も大きな理由は、地下の遺跡だ。

平安京の時代から続く「千年の都」京都では、少し掘り進むだけで、遺跡や遺物が発掘されやすい。たいていは工事の開始前に発掘を終えておくのだが、もしも未発見の遺跡を掘り当てようものなら、文化財保護法に基づき調査が終わるまで工事は中止となる。

実際、烏丸御池(からすまおいけ)駅には着工前の調査で発掘された遺物が展示されている。歴史学者にとってはおいしい土地柄ではあるが、地下鉄業者にとっては悩ましいのが京都という街なのである。

「JR大阪駅」に近接する地下鉄・私鉄が「梅田駅」である謎

JRの東京駅は地下鉄でも同じ名前だ。新宿や渋谷、池袋といった主要駅もJR・地下鉄・私鉄ともに原則として同じ名称である。だが、JR西日本で最大の乗降客数をほこる「大阪駅」に近接する地下鉄や、私鉄の駅は「梅田駅」だ。

JR大阪駅と阪急、阪神の大阪梅田駅、地下鉄梅田駅、地下鉄西梅田駅、地下鉄東梅田駅と地下でつながったエリアになっているのだが、大阪の鉄道事情にうとい人だと混乱しそうだ。

これは、大阪駅が造られた当時の状況が理由とされる。

官営鉄道の大阪~神戸間が開通する5年前、アメリカの商社が同区間の敷設(ふせつ)を申請する。だが、政府は鉄道事業を国がすべき事業だとして却下。1874年に政府が「大阪駅」を設立するが、当初の鉄道計画に反対された住民は面白くなかった。

そのため反発の意を示そうと、地元で親しまれていた「梅田駅」の名で呼ぶことになった。その後、同エリアに開通させた民間や市営の鉄道は、「梅田」を使用することになったのだという。

同様に、神戸のメインターミナルも、JR、私鉄、地下鉄で駅名が異なる。神戸のメインターミナルは神戸駅ではなく「JR三ノ宮駅」なのだが、地下鉄は「三宮駅」、私鉄は「神戸三宮駅」と、「ノ」が入らない。兵庫県西宮市にある駅名も、阪神は「西宮駅」、阪急が「西宮北口駅」なのに対し、JRは「西ノ宮駅」だったが、2007年に「西宮駅」に改称した。

両駅に「ノ」が入っていたのは、1874年の開業当時、旧国鉄の前身にあたる工部省鉄道寮が、東京の人には読めないだろうと考えて入れたという説がある。

京都市内では、電車ではなくバスがメインの足なのは？

バスといえば、鉄道路線から離れた場所へ向かう交通機関だという意識が強い人が多いだろう。目的地に行くには、まず電車を使い、歩いていくには遠い距離ならバスに乗る、と。しかし、バスが都心の主要交通機関であり、しかもわが物顔で走っている町がある。それが京都だ。

京都は日本で初めて、路面軌道の電車（のちの京都市電）が通った町だ。路面電車の軌道は市中に張り巡らされ、その影響もあって、現在の地上鉄道路線は上京区、中京区、下京区の中心部を迂回する形で敷かれている。

京阪線は鴨川の東側を通り、ＪＲは下京区域をかすめるように南から西へ延びる。阪急は今でこそ中心部に乗り入れているが、河原町駅（現京都河原町駅）までの延伸は１９６３年のこと。しかも地下路線である。

そんな市電は、自動車の普及による道路事情の悪化で路線は順次廃止となり、１９７８年に全廃。代わって京都市中の公共交通を担ったのが市バスである。

市バスは市民だけでなく、京都を訪れる観光客も利用する。観光地への移動手段としては地下鉄もあるが、すでに説明したとおり、南北と東西の２路線しかない。有名な観光スポットへ向かうにはバスが便利、というよりもバスしか交通手段がないに等しいのだ。

京都市バスの利用者数は、１日平均約35万人で総距離は約３１６キロ。東京都営バスの63万人、１０００キロに比べると少なく短いが、東京23区内の人口が約９６０万人なのに対して京都市は約１４５万人だし、都バスには多摩地区のデータも含まれているので、市バスの規模の大きさがうかがえる。

そんな状況なので、京都市内の道路には常にバスの姿がある。重要な系統では１日の利用者数が約３万５０００人、運行本数は３００本。都バスで最も乗車数の多い「都07」系統の約2万人を大きく超える。10分に1本以上停車するという停留所もあり、バス同士の渋滞も起きるほどだ。

そのため京都市内の道路では、一般車両やタクシーよりもバスが大きな顔をして走っている。単純に車体が大きいというだけでなく、自分たちが住民と観光客の重要な移動手段を担っているという自負の表れでもあるのだ。

滋賀県には、地下鉄の車両が道路を走る区間があるって?!

日本の各地で、地域住民の足として親しまれている路面電車。その車両の多くは1～2両編成で、どこかおもちゃのような可愛らしさが感じられる。

しかし関西には、そんな路面電車とは一線を画した車両が走る路線が存在する。それが、京都・御陵(みささぎ)駅と滋賀・びわ湖浜大津駅を結ぶ路線距離約7・5キロの「京阪京津線」だ。

この路線が路面電車として走行するのは、滋賀県大津市の上栄町(かみさかえまち)駅～びわ湖浜大津駅間の約800メートル。「では、ほかの区間は?」といえば、それが京津線のユニークなところ。同路線には日本で3番目という急勾配(きゅうこうばい)や、多くの急カーブを持つ逢坂山（325メートル）越えの区間が存在し、さらに京都市営地下鉄にも乗り入れているのである。

つまり、京津線は路面電車でありながら登山電車で、かつ地下鉄という「三つの顔」を持っているということだ。このように多彩な区間を走る路線は、国内でもほかに例がない。

また日本の路面電車の長さは、法令で30メートル以下と定められているが、京津線の車両は4両編成で全長は66メートル。これは地下鉄に乗り入れるために認められた特例だ。その長さもあって、大津市の市街地で路面を走る車両の姿は実に堂々としており、ほかの路面電車にはない迫力が感じられる。

さらに条件の異なる区画の走行を可能にすべく、車両には地上と地下の両方で使用できるパンタグラフ（集電装置）や、ATO（自動列車運転装置）などのハイテク装備を搭載。その車両価格は1両約2億円（！）と見積もられ、車両1メートルあたりの値段は新幹線よりも高額といわれる。

また山岳区域の急カーブを通過する際には、車輪とレールとの間で摩擦音が生じるが、京津線ではその緩和のため、自動で水煙が噴き出す装置を備えている。京津線は距離こそ短いものの、見どころと技術が詰まった路線なのだ。

関東人には理解不能?! 阪神間3路線の〝確執〟とは

駅名に苦慮(くりょ)するほど並行路線の多い関西だが、その中でも特別なエリアといっても過言ではないのが阪神間だ。

大阪～神戸間を意味する阪神エリアは、尼崎(あまがさき)市、西宮市、芦屋(あしや)市の南部3市と北部の伊丹(いたみ)市、宝塚市、川西市、三田(さんだ)市、猪名川町(いながわちょう)を指す。この7市1町のエリアで特徴的なのが、北部3市の鉄道路線だ。

この地域には北から順番に阪急神戸線、JR神戸線、阪神本線の3路線が東西に走っているが、阪急阪神間の狭いところでは約1キロしかない。しかも、3路線とも大阪梅田駅（JRは大阪駅）と神戸三宮駅（同・三ノ宮駅）を結んでいる。

すなわち、同じ駅から出発して同じ駅に到着する

というわけだ。関東どころか、全国のどこを探しても、このような地域は見当たらない。さらに面白いのは、阪急沿線と阪神沿線では、住民の意識が異なるというところだろう。

関西では私鉄沿線によって気性の違いがあるとされ、最も上品なのは阪急沿線。特に神戸線の住民は、気品が漂っていると同時にプライドも高い。あの芦屋市の六麓荘町（150頁）も阪急神戸線に近い。一方の阪神沿線は阪急よりは庶民的といえる。

そのため、両沿線の住民の間には、わずかな確執があるとの意見もある。特に阪急の住民は事故や故障で運休があっても、甲子園でプロ野球の試合があるときの阪神本線を絶対に利用しないとさえいう。阪神ファンの騒ぎ方やユニフォームを模したファッションが許せないらしい。そんな阪急と阪神の中を取り持つのが、ＪＲ沿線の住民といったところだろうか。

東京駅と京都駅を徹底比較してみると…

東京は奇抜で斬新なデザインが受け入れられ、京都は伝統に基づいた古風な意匠が求められる――。その考えは、あながち間違いとはいえないが、駅舎については全くの逆となる。

東京駅は1914年の開業で、現在の丸の内駅舎は南北にドームのあるシンメトリー構造。外壁は既存の構造レンガに加えて化粧レンガが貼られ、レトロモダンな近代建築の様相を醸(かも)しだす。

この駅舎は創建当時の形を復元したもので、完成は2012年。ただ、3階建てだったものを2階建てに、ドームの天井は台形に変更されたものの、空襲で焼失したのち1947年に修復された駅舎も、かつての面影を彷彿(ほうふつ)とさせる造りだった。

一方の京都駅は1887年の開業。東京駅よりも歴史は古い。その後、利用者が増えたこともあって1914年に2代目駅舎が完成したが、50年の火災で焼失。52年に3代目が建てられ、現在の駅舎は4代目だ。

1997年に完成した4代目だが、東京駅とは違って「奇抜」といってもいいほどのスタイルをしている。

地上16階、地下3階、高さ約60メートルという威容(いよう)を誇り、館内にはホテルや百貨店、美術館などさまざまな施設が入居。東西も470メートルにおよび、その間の中央コンコースは約4000枚ものガラスが天井を覆うダイナミックな吹き抜きの空間となっている。

さらに、京都市街が見渡せる地上45メートルの「空中経路」や各種イベントが行われる高低差35メートル、段数171段の「大階段」も設置。この斬新すぎるデザインゆえ、建設時には「景観が破壊される」と反対の声も多く上がったという。東西の都で全く異なる外観の玄関口。じっくりと見比べてみるのも面白い。

京都駅は東京駅より ホーム番号が多い駅だった！

斬新奇抜な京都駅だが、ホームにも東京駅では見られない特徴がある。それは「0番ホーム」があることだ。

1992年、京都駅では大規模な改修工事が行われ、これに合わせて「運転番線」の改訂が実施された。運転番線とはホームの有無にかかわらず線路ごとに付けられる番号のことだ。

ところが、改訂の際に11本あるJR西日本の在来線には、10番までの運転番線しか割り当てられなかった。それは11〜14番がJR東海の管轄（かんかつ）だったためだ。そこで10番までに収めるために0番が用いられることになった。

ホームの番号は運転番線と違い1番から表示されていたため、1番ホームに0番線が通るというズレが生じてしまう。これを解消すべく、1番ホームが0番に改められたのである。

では1番線はどこへ？　というと、そもそも1番線は貨物列車や回送列車の専用通貨線路で、ホームを必要としない線路だった。それゆえホームの番号が変更されても支障をきたすことはなかったのだ。

なお、0番ホームは日本一長いホームとしても知られている。それは関西国際空港行きの特急「はるか」が発着する30番ホームにつながっているためで、前者が323メートル、後者が235メートルと合わせて558メートル。これは在来線の列車28両分の長さに相当する。

ちなみに、0番ホームは京都駅だけでなく、関東では高崎駅（群馬）、佐原駅（千葉）、成東駅（千葉）、四街道駅（千葉）、綾瀬駅（東京）、日暮里駅（東京）などにあり、全国で34ほど存在している。

また京都駅は、15～29番のホームもまるまる欠番となっている。JR山陰本線のホームを〝山〟陰と「3」の語呂合わせによって31～34番にしたためだ。いうなればJRの遊び心で生まれたホームだが、その結果、京都駅は34番という日本で最大のホーム番号を持つ駅となった。

◉左記の文献等を参考にさせていただきました――

『関東と関西ここまで違う！おもしろ雑学』ライフサイエンス（三笠書房）／『関西人の「あるある」図鑑』関西ルール研究会、『関東人と関西人 二つの歴史、二つの文化』樋口清之、『どっちがうまい!? 東京と大阪「味」のなるほど比較事典』前垣和義、『徹底比較！関東人と関西人』日本博学倶楽部（以上、PHP研究所）／『関西人の正体』井上章一（小学館）／『関西人の取扱説明書』千秋育子（辰巳出版）／『大阪人大全』高瀬甚太（リベラル社）／『くらべる東西』おかべたかし（東京書籍）／『床屋の真髄』米倉満、『関西弁講義』山下好孝（講談社）／『大阪人vs東京人くらべてみたら…?!』ユーモア人間倶楽部、『外から見えない暗黙のオキテ 関東のしきたり関西のしきたり』話題の達人倶楽部（以上、青春出版社）／『関西圏鉄道事情大研究 将来篇』川島令三（草思社）／『大阪のトリセツ』、『京都のトリセツ』（以上、昭文社）／『全国アホ・バカ分布考』松本修（新潮社）／『食は「県民性」では語れない』野瀬泰申（KADOKAWA）／『冠婚葬祭お金とマナー大事典』（主婦の友社）／『トウガラシ』寺岸明彦（農山漁村文化協会）／『80のスパイス事典』武政三男著（フレグランスジャーナル社）／『お得版 調味料を使うのがおもしろくなる本』青木敦子（扶桑社）／『NHK美の壺 扇子』（NHK出版）／『なぜ日本人は「のし袋」を使うのか?』齋藤和胡（淡交社）／『大人の冠婚葬祭マナー新事典』岩下宣子監修（朝日新聞出版）／『銭湯』町田忍（ミネルヴァ書房）／『大阪・京都・神戸 関西三都一日乗車券ガイド』（イカロス出版）／毎日新聞／読売新聞／日本経済新聞／東京新聞

文化庁HP／大阪市HP／JR東日本HP／JR西日本HP／井村屋株式会社HP／新宿中村屋HP／WEB歴史街道／神戸新聞NEXT／東洋経済オンライン／幻冬舎GOLD ONLINE／公益社HP／メロディアン株式会社HP／ミズノHP／金沢大学HP／中野区医師会HP／神戸松蔭女子学院大学HP／大阪樟蔭女子大HP／関西学院大学HP／大阪桐蔭中学校高等学校HP／和歌山県立桐蔭高校HP／京阪電鉄HP／乗りものニュース

KAWADE
夢文庫

最新版
関西人の常識VS関東人の常識

二〇二二年七月三〇日　初版発行

著者……博学こだわり倶楽部[編]
企画・編集……夢の設計社
東京都新宿区山吹町二六一〒162-0801
☎〇三—三二六七—七八五一(編集)
発行者……小野寺優
発行所……河出書房新社
東京都渋谷区千駄ヶ谷二—三二—二〒151-0051
☎〇三—三四〇四—一二〇一(営業)
http://www.kawade.co.jp/
装幀……こやまたかこ
印刷・製本……中央精版印刷株式会社
DTP……アルファヴィル
Printed in Japan ISBN978-4-309-48569-0